臺中學
2017
The Study of Taichung

驛動軌迹

臺中火車站的古往今來

朱書漢、宋德熹 著
王志誠 主編

臺中市政府文化局
遠景
VISTA PUBLISHING

驛動軌迹

臺中火車站的古往今來

Contents

Contents

「行動導讀」提供讀者一份新的閱讀體驗，傳統書籍也可以如此方便地做到：既有深度、兼具廣度。其特色既保持書本平面閱讀時的舒適感與質感，同步又能夠提供多面性的具象影音，使書的內容更充實、更能散播美感與價值。

行動導讀　這樣做——

1. 手機下載「行動導讀」APP（iOS、Android 適用）或瀏覽網站（http://www.dowdu.tw/）。
2. 輸入「書碼」：QR Code 或 201713。
3. 查看「易導碼」（例如「(25)」），即可體驗閱讀中所延伸的豐富多媒體與影音內容。

市長序

儲備臺中的人文精神

林佳龍

近年來，作為宜居城市的臺中市，吸引了各地的民眾陸續移入，人口大幅成長，躍居全臺第二大城，同時民眾對生活品質的訴求相對提高，人文精神也隨之抬頭。政府應如何規劃城市願景，以符合市民期待，這一步極為重要。

現今的臺中，能受到越來越多人的認同，過去打下的基礎功不可沒。許多在地的民間團體在此基礎上，活絡熱切地在臺中各地舉辦藝文活動，布置閱讀、品茗、及享用文創餐飲的舒適生活空間，或透過舉辦讀書會、講座等不同方式推展這座文化之城，使它的生活面貌、運轉軌跡可以清楚地被自身與外界所認識。而市府的文化團隊也不落於人後，以出版的力量凝聚這些人文精神，用以滿足這座對自身文化越來越有自覺的城市。

為了與過去眾多學術性的調查研究報告做區別，臺中市政府文化局特別策畫出「臺中學」叢書，以故事傾訴當地，以圖片還原環境，讓大眾透過這套書去發掘更多臺中的美好，進而典藏臺中的歷史、文化與生活。去年付梓的臺中學專書裡，分別暢談「臺中公園的今昔」、「領航者林獻堂」、「葫蘆墩圳探源」、「清水人文地誌學」、「世界珍奶與臺中茶飲」等五大主題，都獲得廣泛的迴響。

今年，我們聘請宋德熹與朱書漢、游博清、方秋停、郭双富與蘇全正、林景淵與曾得標等專家學者，撰寫第二輯的臺中學，推出《驛動軌迹：臺中火車站的古往今來》、《市街之味：臺中第二市場的百年風味》、《書店滄桑：中央書局的興衰與風華》、《劇場演義：演藝娛樂現代化的天外天劇場》、《踢躂膠彩：臺灣膠彩畫之父林之助》，希望大家透過這五部專著看到臺中昔日的風華、現今正在進行的輪廓，與未來城市發展的藍圖，了解這塊土地的身世背景，進一步與臺中產生深厚的情感與歷史文化的連結。

得以在一座人文風氣濃厚的城市中生活，無疑是幸福的。當然，臺中文化重鎮的地位之所以屹立不搖，靠的無非是一種長時間文化的累積，我們現在走的每一步路都是為將來進行儲備，所以我們也會持續出版一系列與臺中學相關的書籍，透過記錄不同階段、不同層面的人事物，增加這座城市的多元文化厚度。

局長序

「百年城」的五道歷史光芒

王志誠

臺灣遊客偏愛日本京都。因為，那是一座洋溢著人文、藝術、歷史等氣息的棋盤式城市。然而如今卻極少人知道，昔日的臺中市也因為曾以京都為城市規劃的藍本，而被賦予了「小京都」的美稱。我們可以想像一下百年之前的中區地貌——宏偉的臺中火車站、臺中市役所、臺中州廳；許多香火鼎盛的寺廟；寧靜的各類日式傳統住宅；摩登的巴洛克式洋房、現代的市場建築；以及嫵媚柔人的柳川與石橋——那份傳統與現代、繁榮與靜謐並行的優雅，也曾經在臺中如此深刻地駐足過。

生活在「小京都」這座風情萬種的城市，我總想，要怎麼樣讓它的優雅再現，或是更廣為年輕一輩所知；當然，臺中不只有優雅的小京都，還有更多精采繽紛的山海景致與極富臺灣味的城貌，提供了許多足以形塑臺中的關鍵字庫。這些字庫的單詞不應只是單薄的名詞，而是更能引發人們情感共鳴的聲音，於是，「臺中學」系列在 2016 年誕生了。

第一輯「臺中學」付梓後，不僅受到海內外矚目，也獲得國史館臺灣文獻館的出版獎勵，以及文化部中小學生優良課外讀物的推介選書。市府與文化局團隊感謝各界的肯定之餘，今年也再接再厲，繼續編纂「臺中學」第二輯，規劃「臺中火車站」、「臺中第二市場」、「中央書局」、「天外天劇場」、「臺灣膠彩之父林之助」等五大主題，重塑「小京都」的生活與人文風貌。而第二輯的籌畫與撰寫，很榮幸邀請到中興大學及臺中在地的專家學者們，以他們豐厚的史學素養及在臺中生活多年的實地經驗，為這五個臺中關鍵詞彙刻劃立體細緻的脈絡。

在臺中火車新站開通之際，對舊站的記憶與感情依舊鮮明地存在於每個臺中人的心中，《驛動軌迹：臺中火車站的古往今來》便是一個精準的彙整與見證；本書由中興大學歷史系教授宋德熹、長期以「寫作中區」為筆名記錄臺中的朱書漢執筆操刀，不捨中卻又帶著期盼的心情，為這座老火車站的曾經與將來留下註腳。第二市場已是「臺中美食」的另類代名詞，而美味根植於整個場域獨特的歷史氛圍；透過《市街之味：臺中第二市場的百年風味》，擅長臺中發展史與文化交流史的游博清讓我們聽到了日語、臺語、國語交雜出的市場語言，更在古色的紅磚樓下聞到了青蔬、鮮魚的氣味，從不因百年過去而變質。

在電視、電腦等 3C 產品還未問世的年代，人們最大的娛樂便是閱讀與看電影，中央書局與天外天劇場因此與許多人的青春歲月遇見相逢。散文家方秋停不但以生動的說故事手法將中央書局在臺中建立文化碉堡的歷程娓娓道來，更訪問了諸多文化界人士，讓中央書局透過他們的記憶逐步復甦；對於即將重獲新生的中央書局而言，《書店滄桑：中央書局的興衰與風華》是一本不可或缺的指南。而天外天劇場或許是第二輯系列中最不容易詮釋的主題，但長期關注此地的蘇全正依舊透過中部首富吳鸞旂傳奇的一生，及其子吳子瑜對劇場的出資、投入，爬梳出天外天劇場的輪廓，成就了《劇場演義：演藝娛樂現代化的天外天劇場》這部作品，本書也幸得「臺中文史寶庫」郭双富的協助，收錄許多精采的圖片文獻。

如同第一輯的規劃，第二輯也選錄一位知名的臺中人物作為全輯亮點，出生在大雅、壯年乃至老年皆活躍於臺中的一代膠彩畫大師林之助便以《踢躂膠彩：臺灣膠彩畫之父林之助》一書登場。這部由林之助弟子曾得標及中興大學教授林景淵執筆的作品，除了清晰地勾勒出大師幽默迷人的風采，更重現他在動亂的大時代中，仍穩健地步向美之天地的堅定理念，是一部精采絕倫的人物觀察寫真。

巡禮了「臺中學」第二輯，我們會發現臺中何以在當年能坐擁「小京都」的封號，而這次的選題除了著重地理、歷史的主軸，也將視野延伸至庶民生活、美術藝文的層面，希望民眾不只能從文史的角度去認識臺中的曾經，更能感受與欣賞它美麗的面貌與內涵。

前言

滿載一世紀的蘊藹蒼蒼

回眸巍峨屹立一世紀的臺中火車站，第一眼是初生的車站，簡易型的木造式建築從此改變了臺中的往來運輸；再看一眼火車站，受人日益倚重的它，開始增加設施、提升裝備，逐步邁向現代化的目標；最後一眼，火車站歷經天災與疫情淬鍊，終於要脫去一身負累，駛向嶄新的天際。

台中車站 Taichung-Station

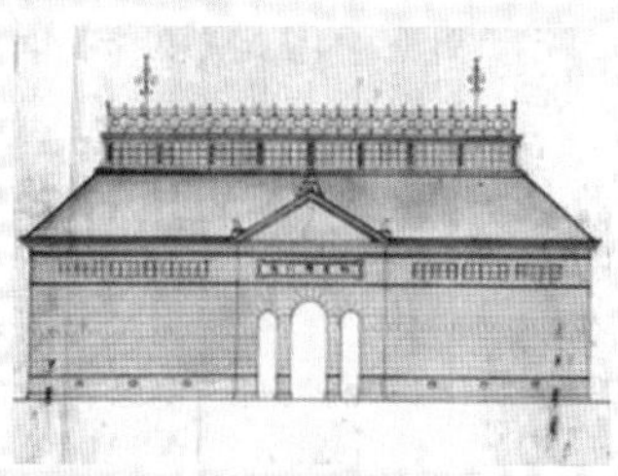

如果我們還可以遇到一位出生自19世紀後期的臺中人，聽他們講述以臺中火車站為核心的市區地景變化，以及那份目睹一切變化的心情，肯定會驚異於如此徹底的改頭換面。

這位臺中人大概會從小時候夾在人群中，看著日本軍隊開進臺中城後開始說起——不過他當然不會說自己是臺中人，也不會說自己住在臺中市，而會稱自己是住在「大墩街」，或是「新庄仔」、「頂橋仔頭」這類舊地名。

有一陣子，他對於尚未建築完成的臺灣府城上頭有日本人出沒，也有日本軍隊駐守在小北門的城牆上的畫面感到習以為常。他本以為這種前朝的舊建築會留在這塊土地上長長久久，然而等到他成年後，才發現日本人的心急，急著要為這座城市煥然一新——劃設新的街道、開鑿人工河、設立種滿花草的公園、建造各種可以代表現代化的建築物。而最令他印象深刻的，是臺中火車站的出現。

他第一眼的臺中火車站，應是一座木造的小火車站，而車站建成不久，縱貫線鐵路便全面通車，這代表以後去基隆或高雄，不用再靠人力或畜力辛苦奔波，旅程縮短許多。當時還在臺中公園舉辦通車典禮，載仁親王更前來參加主持，對於一般的庶民而言，皇族與自己如此靠近，自然是永遠記憶猶新的事情。

後來，他可能為了家庭生計而忙碌，鮮少真正認真注意到四周地貌的變化，等他再一次經過臺中火車站前，才發現臺中火車站又經過了一輪蛻變——變得巍峨巨大，是舊火車站的四倍，磚石建造的站體看起來禁得起各種風吹雨打。他的心情想必擁有一種驕傲，無關乎政治或民族，只因為自己的家鄉出現了一個美麗的地標，而這地標更讓皇太子專程來到這裡，神氣地巡禮了一遭。之後為了紀念此事，日本人又蓋了一棟名為行啟紀念館的建築，在周遭舉辦了大型展覽活動，可想而知在古早鮮少娛樂的時代，宛如祭典的氣氛多麼令人心醉神迷，夜晚的霓紅燈彷彿會一直在黑夜中為臺中閃亮下去……

皇太子蒞臨臺中的那一天，身為市井小民的他，雖然拿不到月臺票、進入車站月臺上近距離目睹皇族的風采，卻可以站在站前廣場前那座光鮮亮麗的「奉迎門」旁，和大多數市民一起參與「路邊奉迎」。他擠在從臺中火車站前往臺中公園會場的人潮，與這座城市一起沉醉在這片歡愉與興奮中。據說這天的人潮造成臺中火車站周邊大塞車，是「臺中當得未曾有之盛事也」。

他和這些參與奉迎的民眾，大概很難想像不久的未來，會有一場大地震損害了這棟巍峨建築，更有戰爭、空襲的煙塵讓它陷入黯淡沉寂。他也不會想到，他會站在臺中火車站的月臺向坐上火車的日籍友人揮手道別，而四周漸漸多了操持著外省口音的中國人，正在研究怎麼修復這些因戰爭而損壞的鐵路……

在人潮中，他只是心滿意足地回頭看一眼臺中火車站，直覺著它一定會一直屹立在那裡，直到他孫子一輩之人，也會像他這樣凝望著它。

【右頁圖】臺中火車站站長交接合照，攝於 1949 年。由洪興正（1947 年 6 月 4 日至 1949 年 3 月 5 日在任）交接給姜光第（1949 年 3 月 5 日至 1961 年 3 月 1 日在任）。（遠景編輯部／翻攝）

台中站全体員工
歡送洪興正兼站長
歡迎姜光第站長
紀念

第一章

從無到有

鐵道工務科到臺中火車站

交通的便利決定了人們的旅程可以去得多遠，火車站的誕生，也成為歷史路途的里程碑之一。臺中火車站帶動了周邊的發展，而當時攝政的日本皇太子裕仁，應臺灣總督田健治郎之邀來臺視察。從基隆上岸後，便一路搭乘火車南下，抵達臺中。皇族的來臨與大量的人潮有相當的關係，亦可見臺中火車站的載負能力。

台中車站 Taichung Station

運轉起點 | 火車站的誕生

城市的發展與交通密不可分，而火車站又是城市的進展程度及規模大小的關鍵性因素。當我們來到臺中時，最先認識到的便是巍巍矗立百年的臺中火車站。儘管臺中火車站是舊臺中市的門戶、城市的起源，然而我們對它的了解又有多少？

雖然臺中是南北交通的樞紐，但早期的開發並未集中於現

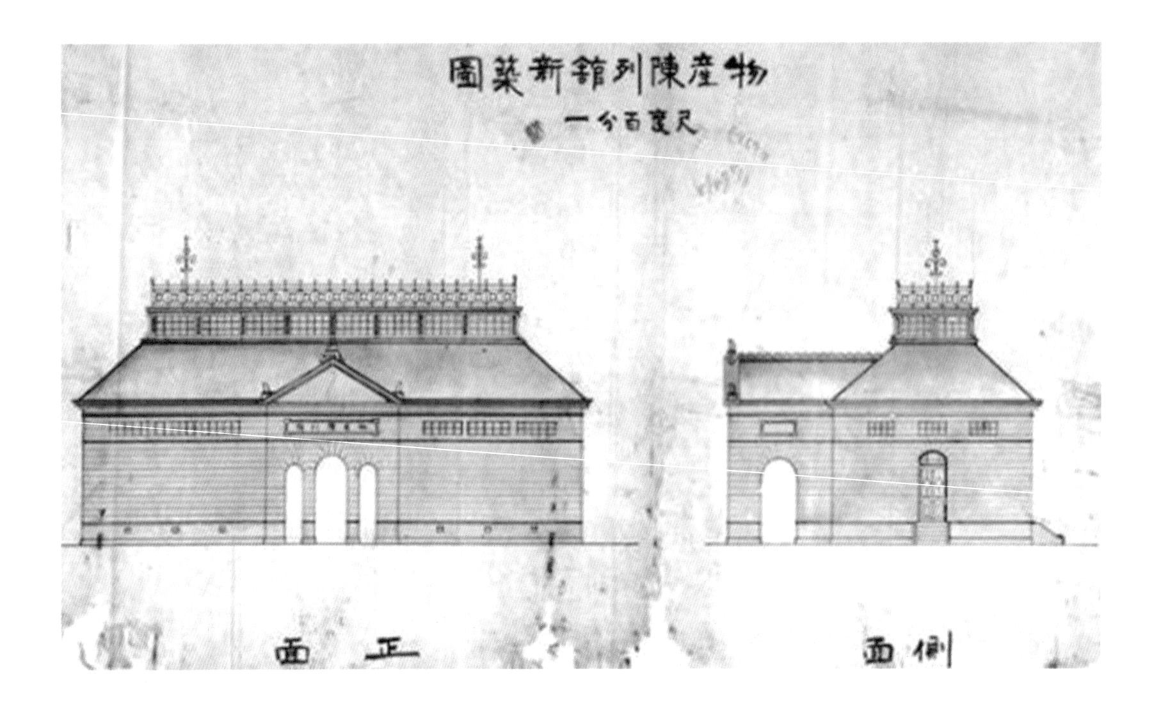

臺中物產陳列館新館圖件，當時建築外牆上僅於頂部設有小窗，不過屋頂上方以玻璃窗作為採光照明，整體外觀典雅又新潮。（引自「數位典藏與數位學習國家型科技計畫」，遠景編輯部／翻攝）

在的臺中市中區，直到清末劉銘傳 (1) 在臺中建立臺灣府省城開始，再到日治初期對臺中進行一連串的都市規劃後，臺中才成為中部地區最大的城市。

在明治33年（1900年）1月公布的「臺中市區設計圖制定」中，不但將臺中市區改正，使街道由蜿蜒曲折變為棋盤式街廓，也把如亂髮雜生的河川水系匯整為一大河，將原本曲流的河道截彎取直，先後整合為綠川、柳川等人工河道。此番對臺中市區的建設到了明治44年（1911年）已具初步規模——由該年11月測量、大正5年（1916年）3月印刷出版的〈臺中街實測圖〉 (2) 中便可窺見梗概。其中諸多街道劃設、河川規劃與現在臺中市中區的街道也大多一致。

至於臺中火車站連同廣場周圍原被規劃為一座公園，也是在明治33年（1900年）時，彼時火車站的位置大致在原臺中物產陳列館附近，而現已拆除的國光客運臺中轉運站則是當時的臺中病院（臺中署立醫院前身）所在。在臺中火車站興建之後，這些建物與機構也遭逢了拆除的命運，公園被遷至砲臺山，即今臺中公園之處；臺中物產陳列館則被拆遷至臺中公園內、

日治的臺中市街規劃

日治時代的臺中市規劃構想，起初由臺灣民政支部長兒玉利國（1840年5月24日～1925年4月26日，日本鹿兒島縣人，為日軍海軍少將），建議將當時臺中市規劃為類似於法國巴黎等「圓形放射狀」都市，亦即每條街道以放射狀的方式散開，以及以同心圓的設計規劃環城道路，但未被臺灣總督府採納。不過，此構想被採用在城市的中心點規劃一座公園，公園建立後，也興建了臺中物產陳列館，用以展覽與介紹殖民母國日本的工業產品與文化。周圍則建有臺中病院，大致位於第二代臺中火車站右側、現已拆除的國光客運臺中轉運站處。改制後的臺中病院，即今臺中署立醫院。

第一代臺中火車站，圖中可見當時以人力車運輸為主流。（引自《臺中市古老照片輯》，遠景編輯部／翻攝）

孫中山雕像的後方，後來又為了建設位於今自由路與臺灣大道口的臺中行啟紀念館再度被拆除。

臺中火車站的建設在當時確實受到了極大的關注，明治36年（1903年）2月26日的《臺灣日日新報》便報導了第一代臺

中火車站已選定施工位置並開工建造，及至明治 38 年（1905 年）6 月 10 日竣工後，豐原以南的鐵路旋即開始營運。從留存的老照片中，我們得知第一代臺中火車站 (3) 乃是以木構造為主結構，規模大小類似日南、集集等日治時期保留下來的簡易型車站。

而當年臺中市區的神速發展也反映在車票收入上。根據漢文《臺灣日日新報》於明治 39 年（1906 年）4 月 21 日報導的 3 月臺中火車站收入總計為 7,619 元 23 錢，而名列第二的為豐原郡則為 7,608 元 41 錢。

雖然當時人們可從臺中搭乘火車至彰化，不過由於臺中至豐原路段尚未通車，因此若要北上便必須改乘其它交通工具。這種耗時的轉乘問題一直要到明治 41 年（1908 年）臺中線（俗稱舊山線）(4) 的鐵路線通車後才獲得解決。

《臺灣日日新報》於明治 39 年（1906 年）4 月 25 日的

豐原郡行政區

豐原郡為臺灣日治時期的行政區域劃分，在豐原街設有豐原郡役所，轄區廣於今豐原區，管轄豐原街、內埔庄、神岡庄、大雅庄、潭子庄，即今臺中市豐原區、后里區、神岡區、大雅區、潭子區等地。

臺中街

臺中街為日治時期早期的行政區舊稱，轄區範圍為今臺中市中區，亦涵蓋北區、南區、西區、東區相鄰中區的部分，管轄範圍略大於今臺中市中區。

報導中更明確提及臺中火車站周圍的發展建設完善並且已十分繁榮。而日治初期的臺中街戶籍人口，在大正 4 年（1915 年）的第二次臨時臺灣戶口調查中，已有戶籍人口 15,362 人，由此可知臺中火車站的建設確是帶動臺中街蓬勃發展的原因之一。

另外，鐵路系統的興建在日治時期不但已具規模，還相當完備，當時各大火車站均設有機關庫，作為停放與維修火車機車頭的設施，臺中火車站則是在明治 41 年（1908 年）4 月 21 日興建後使用。在第三代臺中火車站建設時，所挖掘到的第一代臺中火車站遺跡便是臺中機關車庫，紅磚造的機關車庫維修坑道 (5) 長約 60 公尺、寬約 1.4 公尺。

為了紓解火車站的人潮，相關鐵道設施也都陸續增建，當時臺中火車站所建造的鐵製跨線橋的重要性更備受主流媒體關注。依據明治 42 年（1909 年）1 月 21 日漢文《臺灣日日新報》的報導，其時臺中與臺南火車站的跨線橋皆已完工（跨線橋為日本說法，臺灣稱為天橋）。

位於臺中火車站旁的紅磚造機關車庫維修坑道遺跡，市府打算將其保存並規劃展示，如此一來，臺中火車站可謂三代同堂了。（詹詠涵／提供）

開通 | 縱貫線通車到臺中火車站改建

明治 41 年（1908 年）迎來了第一代火車站啟用後重要的一年，基隆到高雄長達 250 哩的縱貫線鐵路 (6) 終於完成了最艱難的路段：豐原到臺中的鐵路接軌並通車。臺灣總督府更為此成立了「全通式委員會」，由當年的鐵道部長長谷川謹介 (7) 擔任委員長，於同年 10 月 24 日在臺中公園舉行「縱貫鐵道全通式」(8)。

通車典禮選在臺中舉行，除了慶祝全線通車外，全通式委

臺灣鐵道之父 長谷川謹介

長谷川謹介（1855 年 9 月 20 日～ 1921 年 8 月 27 日），生於日本山口縣山陽小野田市，是日本鐵道官僚、工程師。其為建設臺灣縱貫鐵路的總工程師，被譽為「臺灣鐵道之父」。

臺中火車站加蓋的跨線天橋，旅客可由此通行，無須直接穿越鐵道，便利性與安全性大增。（引自《臺中市古老照片輯》，遠景編輯部／翻攝）

閑院宮載仁親王

閑院宮載仁親王（1865年11月10日～1945年5月21日）是日本皇室的重要成員，甲午戰爭和日俄戰爭的資深指揮官。大正8年（1919年）閑院宮載仁親王晉升為日本元帥，是日本帝國陸軍中最年輕的陸軍元帥。昭和6年（1931年）到昭和15年（1940年）載仁親王出任參謀總長並參與策劃了中日戰爭。昭和20年（1945年）5月21日，日本元帥閑院宮載仁親王於小田原市官邸去世，終年79歲。

員會還邀請了閑院宮載仁親王共襄盛舉，前後更發出將近2,000張的邀請函給日本國內外的政商名流，也藉此機會將臺中公園重新整建一番，興建了不少公共設施，湖心亭便是其一。

遙想當年閑院宮載仁親王親至臺中參加典禮時，沿路觀賞這座建設未滿二十年的城市，整齊有致的棋盤式街道，一座新興城市洋溢著無限的新奇與展望，臺中這座由日本政府首次規劃建設而成的都市，到了明治41年（1908年）時已然發展蓬勃。

位於櫻町，今民權路與臺中路交會處的鐵橋，許多臺中人常以「火車路空」來形容鐵橋與橋下空間。（遠景編輯部／翻攝）

不過，若是我們仔細觀察臺中市中區的街道，便會發現道路並未與鐵道平行或垂直，兩者形成的夾角還會使部分地區成為角地，這究竟是何原因？原來日本當局在規劃臺中市區時，找來巴爾頓（W. K. Burton）與濱野彌四郎至臺中進行調查，提出臺中市市街規劃報告，其所勾勒出的臺中市規劃藍圖不將街道與鐵路互為平行或垂直，而是改採整體街廓向西偏斜 45 度角。此種設計理念乃是出於巴爾頓依照寒帶國家的日照需求，希望藉由日光照射達到消毒街道、增強環境衛生等功能，同時避免如鼠疫、瘧疾等流行疾病。

而隨著臺中舊城區都市的發展，車站的輸運能力也逐漸有了加強的必要性，再加上簡易型的小車站已不敷使用，因此臺中火車站便順勢擁有了一次全新的蛻變，拆除後改建的第二代車站——即俗稱「臺中舊火車站」，便在大正5年（1916年）開始動工。是年6月19日《臺灣日日新報》提到，第二代火車站[9]的建築經費定為八萬元，建坪約為第一代火車站的四倍，同時也營造並改建了倉庫與附屬建築。

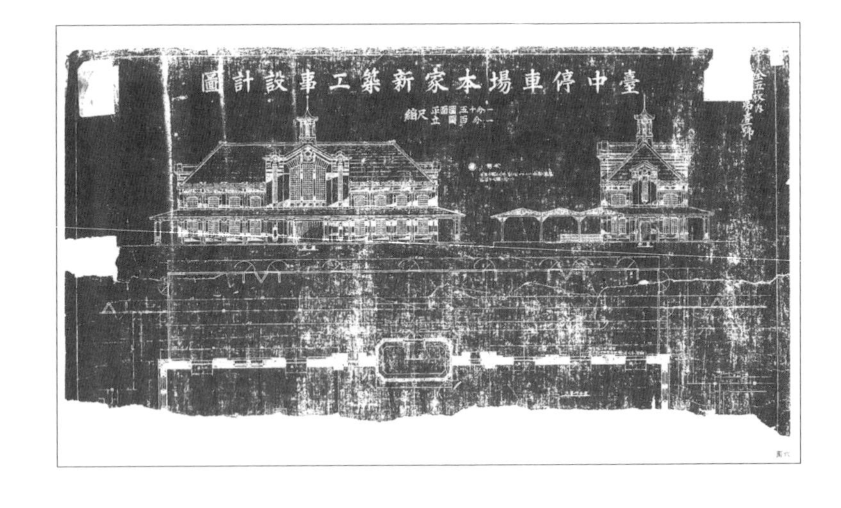

掃描自《臺灣七大經典車站建築圖集》中的臺中火車站藍曬圖，本為黑白，經後製模擬其藍曬圖樣。（引自《臺灣七大經典車站建築圖集》，遠景編輯部／翻攝）

第二代臺中火車站 (10) 的主體建築於大正 6 年（1917 年）完工，來自鐵道工務科的設計乃是一座由磚砌與木構造混合的火車站。火車站外觀是以紅磚磚砌搭配灰白色洗石子邊條，整體格局宛如一張大頭照，車站的中央則設有鐘塔，兩旁平垂延伸至屋頂，呈現典型的辰野式建築風格，標誌出諸多當代建築技術及美學文化的結晶。

此外，火車站的屋頂是採用石片砌成，富含耐久性等優點。進一步細觀火車站的鐘塔與屋牆上的古典式風格雕刻紋飾，便能發現臺灣水果是創作的題材，屬於西洋建築的古典式

日治時期的臺中公會堂，位於今雙十路，戰後改稱中山堂，於林柏榕市長任內拆除改建為立體停車場。大家可以比較看看前面臺中火車站的照片與這張照片的相似處。（引自《臺中市古老照片輯》，遠景編輯部／翻攝）

風格所蘊含的臺灣特色表現;至於周圍諸多的浮雕紋路與裝飾，使用的正是從日本傳入的「開模印花」技術。

這種臺灣工匠稱為「番仔花」的技術，乃是將複雜的柱頭花飾由多片模具印製後組裝完成，在製作過程中必須預先埋放鐵絲或木板做成骨架以利水泥固定成形，因而又發展出「開模洗石」的工法，被視為洗石子標準化和量化的過程，可以事先大量生產零件，再於工地組裝以縮短工期。

除了磚砌牆面外，許多地方如灰白色的帶狀邊條，便是以洗石子工法裝飾牆面，這種洗石子工法就被稱為「平面洗石」。施工前先將小碎石及水泥混合後，粉刷與均勻塗抹在牆面上，待水泥略乾後，再用噴霧器將水泥未乾的表面洗淨清除，這樣牆面便會露出小石粒，具有模仿天然岩石表面的效果。

另外，臺中舊火車站大型的拱門形跨距結構設計使得樑柱相對地減少，不僅能讓站內動線暢通，也得以挑高內部空間，促進空氣流通與採光良好。而臺中舊火車站的正面開間數為八，背面開間數為六，似是故意避免窗對窗，由此足見當時設計者心思的細致周密。又如廊道旁的鐵製欄杆也非銲接，使用的是鑄造工法，雖然結構複雜卻樸實，絕非一般路邊銲接的欄杆足以比擬，整體車站可說是厚實卻不笨重，簡明而又雅緻。

再說到月臺，採用的是側式與島式各一。側式月臺又稱岸式月臺，優點是若周邊環境許可，則無須更動現有軌道即可擴建月臺；而島式月臺的優勢在於總寬度較側式月臺為小，因此相關設備（例如升降機、電動扶梯等等）只需購置一組，可降低投資及營運成本且易於監控。

巍然屹立的臺中火車站興建一年多便告完工，大正 6 年（1917 年）11 月 6 日舉行落成儀式，《臺灣日日新報》在典禮前一天便開始宣傳報導，據報當日約有 500 位官員與仕紳參加，並有煙火施放與歌舞表演，還在位於臺中第二市場附近一家當時的頂級餐廳富貴亭設宴慶賀，可謂盛況空前。

到了大正 9 年（1920 年），臺中也已更改了行政區劃分，從原本的臺中廳與南投廳改為臺中州，轄域為今臺中市、彰化縣、南投縣。在臺灣總督府實施臺灣市制後，便成立了臺中市，自此臺中火車站也開始為往來臺中市的旅客提供服務！

轟々たる車輪の音、汽笛の響き絶へず、乘降客を
以て日夜雜踏を極む、島内、臺北に次ぐ大驛なり

完工不久後的臺中火車站，明信片上的說明為：「轟轟作響的車輪聲、汽笛聲不絕於耳，旅客日以繼夜極為頻繁，是島內僅次於臺北火車站的大火車站。」（國家圖書館／提供）

【左圖】臺中火車站大廳裡作為結構支撐的柱子，柱頭有使用「開模印花」工法的浮雕裝飾。

【右圖】臺中火車站大廳，可發現除了挑高以外，同時還以加粗柱體與拱形跨距來解決因挑高與加寬結構導致支撐不足的問題。

| 滿城的奉迎歡慶 |

皇太子行啟到中部臺灣共進會

大正 12 年（1923 年）臺中火車站值得一提的大事紀，乃是時為皇太子攝政的裕仁（即昭和天皇）應當時臺灣總督田健治郎之邀來臺行啟視察。皇太子裕仁從基隆上岸後便一路搭乘火車南下，至同年 4 月 19 日抵達臺中。

皇太子裕仁是在 4 月 12 日自日本搭乘戰列巡洋艦的金剛號來臺，4 月 16 日抵達基隆港，展開為期 12 天的巡臺行程，4 月 19 日下午轉至臺中。彼時連皇太子裕仁經過的道路都被重新整修美化，道路兩旁也都裝設了鈴蘭花造型的路燈。

到達臺中火車站接受官員與民眾的列隊歡迎後，裕仁隨即前往位於今干城里的臺中分屯大隊校閱部隊，隨後前往臺中水源地與水塔，最後下榻於今三民路與民權路交叉口附近的臺中御泊所（後來作為臺中州知事官邸），4 月 20 日離開臺中前往臺南。臺中州知事官邸後來改為臺中俱樂部，1972 年拆除改建為臺中市議會大樓，在西屯區七期重劃區的議會議政大樓建設

行啓

日本天皇巡視稱作「行幸」，而由皇太子、皇后等其他皇族巡視則稱作「行啟」。

臺中御泊所，皇太子裕仁便是在此住宿，也作為臺中州知事官邸，1972年拆除改建為臺中市議會，自新臺中市議會落成啟用後，目前已不作為議會使用。（引自《臺中市古老照片輯》，遠景編輯部／翻攝）

完成，市議會遷入後，現則為交通局使用。

皇太子裕仁離臺以後，各地就開始進行行啟紀念館的建設。臺中的行啟紀念館 (12) 完工後，臺中市役所便於大正 15 年（1926 年）舉辦「中部臺灣共進會」與相關活動，目的是為了慶祝臺中行啟紀念館落成以及宣傳臺中市各項產業、建設、教育、衛生等相關發展與建設成果。當時活動之盛大，人力與物力花費頗多，連《臺灣日日新報》都在同年 3 月 28 日以全版報導。

鈴蘭花造型的路燈，場景中的路段為今中山路與自由路口附近，往大肚山方向前去。（國家圖書館／提供）

中部臺灣共進會總共有五個會場，臺中行啟紀念館便是第一會場。據《臺灣日日新報》於同年 4 月 9 日的報導指出，從 3 月 28 日到 4 月 6 日每日入場參觀的人數就逾五萬，十日內總入場人數更超過 57 萬，可見規模之大。而從湧入臺中看展的巨量旅客數字，也足見當時臺中火車站所具備的承載能力。另外，昭和天皇（時為皇太子裕仁）的弟弟高松宮宣仁親王也都前來參觀，由此可見活動受關注的程度，臺中也就在這些熱鬧喧騰的活動中打開了知名度。

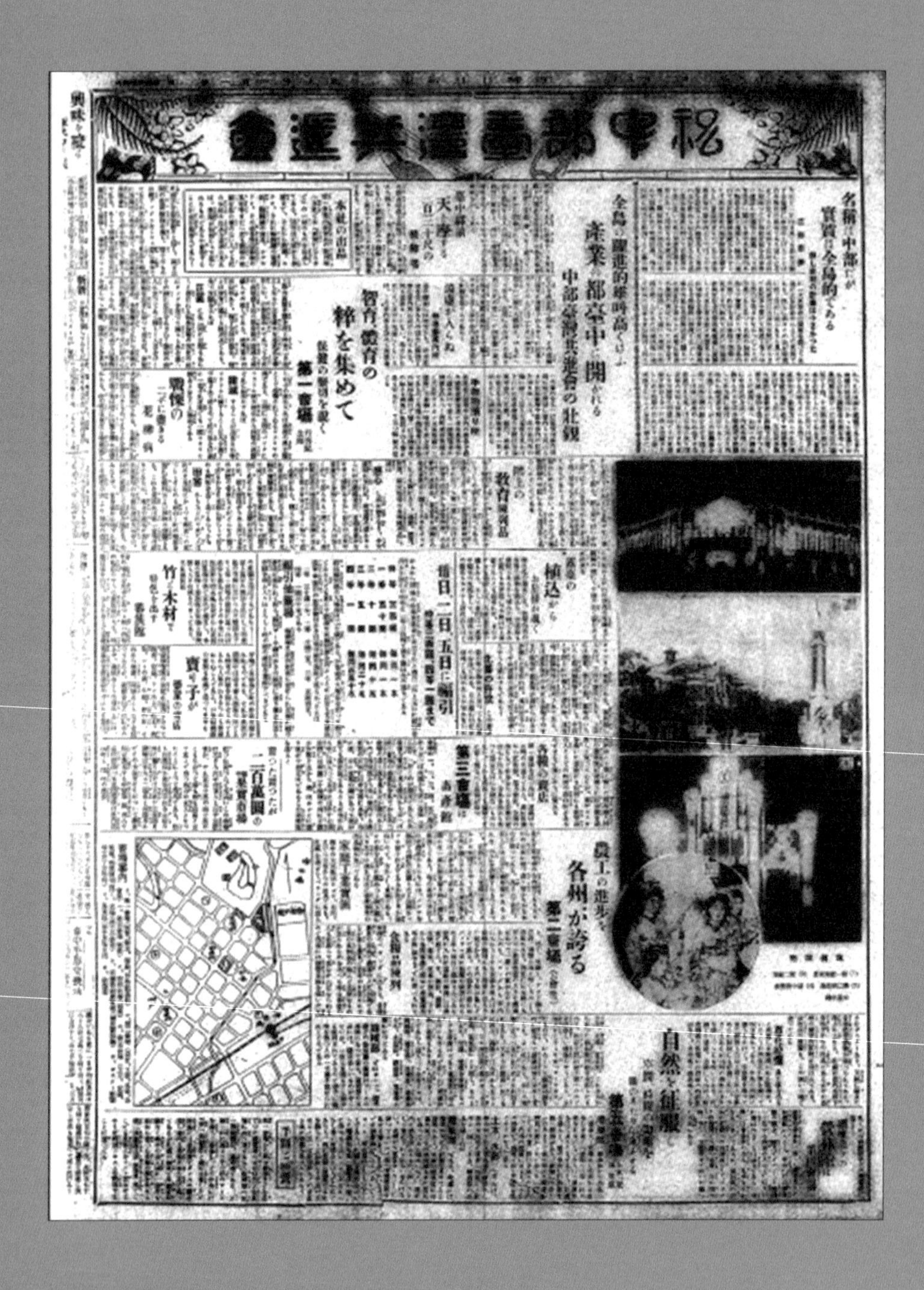

祝中部臺灣共進會

名稱は中部だが實質は全島的である

產業の都臺中に開かれる
中部臺灣共進會の壯觀

智育體育の粋を集めて
第一會場

農工の進步
各州が誇る
第二會場

第三會場

自然を征服し

| 陰霾 | 臺中大地震到第二次世界大戰爆發

昭和10年（1935年）臺中火車站面臨一次大地震的挑戰，那是一起發生於4月21日清晨6時2分16秒新竹－臺中的地震，芮氏規模為7.1，震央位於臺灣臺中市北北東30公里處的大安溪中游 。

雖然臺中舊火車站也受地震波及，不過結構上並無太大損害，但這場地震造成舊山線受損慘重，其中沿線有七座隧道及三座橋梁嚴重毀損，倒坍達25處，更造成勝興車站到后里的舊鐵路無法再使用，不過也保存了不少鐵道遺產，如魚藤坪斷橋（又稱龍騰斷橋）(13) 便是在此次的地震中受損，更使當時中部地區的鐵路交通大打結。山線鐵路相關的修復工作一直要到昭和13年（1938年）7月15日才終告完成。

昭和12年（1937年）7月7日發生盧溝橋事變，中華民國與日本的戰爭全面爆發，雖然當時戰火遠離臺中，但臺中也遭受到戰爭所帶來的後遺症，如物價上漲等問題。除了原本對於在臺日本人的定期徵兵，在皇民化運動以及昭和16年（1941

【左頁圖】大正15年（1926年）3月28日，《臺灣日日新報》關於中部臺灣共進會的全版報導。（引自《臺灣日日新報》）

年）12 月 7 日日本偷襲美國珍珠港後，戰事由初期的順利到後來陷入膠著，日本也就開始對臺灣人徵兵。

昭和 17 年（1942 年）1 月 16 日臺灣總督府發布《陸軍志願兵訓練所生徒募集綱要》正式接受臺灣人志願從軍的申請，彼時臺中地區也有臺灣人申請當兵，《臺灣日日新報》也不斷報導相關的徵兵消息。三年之後，正式實施全島徵兵 (14)。

這段戰爭期間的文學作品也有不少書寫車站送別的場景，

戰時受傷的軍人從臺中火車站返回臺中。昭和 12 年（1937 年）中日戰爭全面爆發之前，日本政府便有徵召在臺中的日本人從軍入伍，投入中日戰爭及昭和 16 年（1941 年）爆發的太平洋戰爭。（引自《臺中市古老照片輯》，遠景編輯部／翻攝）

如收錄於《詩報》中的〈偕內子於臺中驛送金追內弟從軍〉一詩，可約略窺見當時在臺中火車站送行的情景：

大地熱如鑪，人登聖戰途；車中同內子，驛裏送軍夫。
已分三緘口，也隨萬歲呼；勳名空有念，文弱愧為儒。

——摘錄《詩報》第 208 號頁 3

日治時代臺中二中的學生於臺中火車站前行軍演習，由於當時戰爭已經爆發，加上日本於二戰前便有徵兵制度，臺中二中在當時為在臺日人就讀的學校，因此也是被徵兵的對象。（引自《臺中市古老照片輯》，遠景編輯部／翻攝）

P-47 雷霆式戰鬥機 (Thunderbolt)

由共和飛機公司製造，是美國陸軍航空軍在二次大戰中後期的主力戰鬥機之一，也是當時最大型的單引擎戰鬥機。因配有渦輪增壓發動機在高空戰中表現優異，P-47 也適合於執行對地攻擊任務。除了美國陸軍航空軍外，也有其他盟軍空軍部隊使用。

P-38 閃電式戰鬥機

是二戰時期由美國洛克希德公司生產的一款雙引擎戰鬥機。飛機的用途十分廣泛，可執行多種任務包括遠程的攔截、制空及護航戰鬥機、偵察、對地攻擊、俯衝轟炸、水平轟炸等。

其時不少傷員紛紛從臺中火車站返回臺中，這對前來送行的人們而言，道一聲再見與隨後的萬歲聲，相形沉重。

後來隨著日本的敗退，戰火也燒進了臺灣，在大規模的轟炸下，臺中也受到了波及，連帶引起中華民國媒體的關注，如昭和 20 年（1945 年）2 月 16 日的《中央日報》便報導了美國陸軍戰鬥機 P-47(15)、P-38(16) 從菲律賓轟炸臺中的消息。

當時臺中的大型公共建築都成了美軍首要攻打的目標，美軍繪製的地圖甚至標示出臺中的軍營、車站以及工業設施。在這波襲擊中，臺中火車站無可避免地也遭受到了攻擊，所幸損傷並不大。此外，如糖廠、酒廠也都受到毀損，但相較於臺北以及高雄岡山的轟炸，臺中實屬輕微，不過若說當時臺中遭受轟炸最為嚴重的地方，當屬現在的清泉崗機場。

隨著太平洋戰爭的結束與日本戰敗，臺灣改由國民政府統治，臺中火車站原屬管轄的「臺灣總督府交通局鐵道部」也改制為鐵路管理委員會，並在 1948 年 3 月 1 日由臺灣省政府正式宣布改制為「臺灣鐵路管理局」，自此臺中火車站這棟屹立百年的建築便邁入了下一段嶄新的里程。

【上圖】今臺中文化創意園區裡一棟還保有當時彈痕遺跡的倉庫，根據彈坑大小及高度判斷，應為戰鬥機機載之口徑12.7毫米白朗寧M2重機槍掃射的結果。老酒廠員工回憶，美軍戰鬥機常會俯衝下來進行掃射，因此酒廠都有設置防空洞，用以躲避美軍軍機的轟炸。

【下圖】臺中車站日籍員工離職返國紀念照。（遠景編輯部／翻攝）

第二章

蛻變重生

戰後第二代臺中火車站

臺中火車站沉靜地立著，人事已非，景物也不依舊——經過增建的臺中火車站，雖然盡可能使用與原建築同樣或者相似的建材，卻少了歲月的淘洗，變成拼接的碎片，試圖填補遊子旅人對於家鄉破碎的記憶。為了保存過去了便不再返回的時間，人們把空間封藏——精省之後，臺中火車站成了不可遷移的古蹟。

台中車站 Taichung-Station

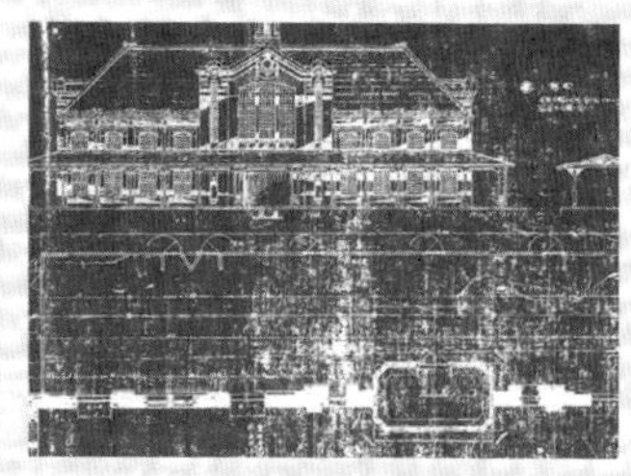

林煥彰〈臺中火車站，讚〉

多少個風雨和多少個日月，

多少個遊子和多少個旅人；

多少個送別和多少個叮嚀和期待，

多少個昨天今天和明天，

天天都有人，要穿過——

這個眾人的驛站，時間的驛站

如每一滴鮮紅的血，都必須通過

跳動的心臟；

這裡，就是

這裡

臺中火車站——

臺中，全臺之中

不偏不倚，

我，小時候走過

我，年輕時走過

我，年老了的現在；

現在，

我也，也還在走。

——摘錄《行走的詩：獻給臺中的五十首地景詩》

臺灣曾經流行過一系列健康寫實主義的電影作品，其中一部電影可能會讓經常行經臺中的綠川、柳川的臺中人感到印象深刻，那便是由李行導演執導、榮獲 1965 年第三屆金馬獎最佳劇情片的《養鴨人家》。其中有幾幕場景描寫貧苦階層的生活，即是在綠川的老吊腳樓取景。

這排吊腳樓的正上方正是縱貫南北的鐵道，每日都有來來往往的列車班次在為許多人的生計或夢想而乘馳，而吊腳樓的住戶們則在鐵道下埋鍋造飯、晾曬衣服，在轟隆隆的聲響中睡覺或聽收音機，平淡地在狹小黑暗的鐵皮屋中度過一個個雖然貧困卻是安穩的日子——畢竟歷經戰後的局勢動亂，臺灣有太多沒有著落的外省移民渡海來臺，或是想到城市討生活的農家人苦於漂流，這些在鐵道下懸空於河流的吊腳樓自然是他們僅有的避風港。

想必當年其中一戶人家的孩子，或許正如《養鴨人家》林再田的兒子，不甘於這般困苦現狀，望著繁忙得不斷更新硬體設備的鐵道、不斷湧入金流發展的車站周邊商圈，總讓他略帶嫌棄地瞪著住戶將一夜的排泄物順手沖入吊腳樓底下的河道，或是剛好有一個經過河道的小孩被某個「金黃的東西」砸中，而直接在河水中洗頭。

於是，他決定出走，走入那棟紅磚巍峨的火車站，搭上往北或往南的自強號，去追求他可以掌控的夢，而成為林煥彰詩中那個「多少個遊子和多少個旅人」的其中之一。他當下走得毅然決然，或許是因為他相信這座從上一世代躲過了地震與戰亂後依舊存在的老車站永遠會在，但他不會想到十多年後，他竟會在報紙上看到火車站可能邁入終曲。

而當他急著回到這裡探望他出走的起點時，火車站在吵嚷聲中依舊健在，但小時棲身的吊腳樓早已隨著所有因鐵路交通而起的發展，消失在他也漸漸稀薄的遙遠記憶中了。

｜方興未艾｜火車站的增建

戰後的臺中市並未停滯發展，相反的，人口數的成長有飛速增加的趨勢。為了因應當時外省、外縣市移民的移入，臺中火車站開始增加疏運設施，1949 年便增建了右翼候車室與貴賓室，並於隔年完工。

和一般追求便利與節省成本而隨意加蓋的鐵皮屋不同，當時的加蓋與臺中火車站本體的樣式相同，皆採用磚砌的柱子與牆面配上黑色洗石子邊條，第二代火車站的結構與樣貌大致於增建後底定。不過，整體外觀雖然雷同，洗石子的粗細及磚塊的顏色卻難以達到一致，因此近看時仍能看出舊站體與加蓋的分別，甚至產生了明顯的分界線。

又因鐵道橫貫於臺中市的東南區，造成穿梭中區與東南

戰後的臺中市

臺中於大正 9 年（1920 年）實施市制，日治時期的臺中市為臺中州之州轄市。1945 年中華民國接管臺灣後，管轄單位名稱已非臺中州而是將臺中市改設置隸屬臺灣省之省轄市，廢除臺中州此一管轄層級，原臺中州轄區分為臺中縣、臺中市、彰化縣與南投縣。

區的一大阻礙。民眾若要通行來往於這兩區之間，必須先經民權路再從鐵橋底下通過，不過為求快速省時，許多人往往都會選擇直接從臺中火車站跨越鐵道直達東南區或中區，1953 年 10 月 10 日《聯合報》的報導中便指出了單日穿越臺中火車站鐵道的人數就逾一萬多人。這種現象不但容易導致意外發生，更會阻礙鐵路交通，因應之道便是規劃與興建臺中市的跨站天橋。

天橋位於臺中火車站，工程計費用為臺幣五十餘萬元，1953 年 7 月 11 日開工後費時三月大功告成。這座由當時鐵路局臺中鋼梁廠設計的天橋，全長 110 公尺，橋身 8.16 公尺，寬 3 公尺，鐵橋結構採用懸臂半穿式花梁，造型類似大安溪鐵橋，而橋梁及墩座支柱均利用廢鐵製造，橋基則為水泥混凝，天橋橋面也裝有電燈六盞，提供照明以方便旅客夜間過橋。

為了慶祝天橋完工，同年 10 月 12 日舉辦了跨站天橋落成慶祝大會，地點選在東區的國際戲院，即昔日的天外天劇場，更包下臺中火車站前的醉月樓餐廳，設宴招待機關首長；也邀請國際、豐中兩大戲院放映電影招待來賓，並在當天晚上八點

國際戲院的前身為天外天劇場，為吳子瑜於昭和 11 年（1936 年）出資興建，國際戲院結束營業後，曾改營製冰廠、釣蝦場，最後將一樓打通作為停車場，甚至還拆除屋頂，加蓋鴿舍養鴿。目前鴿舍已拆除，建築體也閒置封閉。（朱書漢／繪）

臺中吊腳樓示意圖，房子的地基約有一半會架在河堤上方，房屋則大多為一樓磚造、二樓與立面以木頭及鐵皮搭建。廁所大多設在房屋後方，因此當居住者上廁所時，會有「碎物」從房屋後方掉入河中並發出「噗噗噗通」的聲響，有耆老說自己兒時在綠川戲水時，曾在聽到噗噗噗聲響後被碎物砸中。（朱書漢／繪）

於臺中火車站前廣場免費放映電影《寶島大動脈》招待民眾。

| 時代的眼淚 | 站前的吊腳樓

其時臺中市舊市區是以中區為核心，北區、東區、西區、南區為求邊陲發展興盛，也逐漸往郊區擴展，臺中火車站遂也日益忙碌，年載客量逐年遞增。其後遷居的外省、外縣市移民大量湧入，造成臺中市人口快速增加，居住空間漸為不足，再加上移居人口多處於弱勢，難以尋獲住所，只能找地搭建簡陋的房舍，這些克難屋最初的蹤跡是在臺中火車站附近的綠川。

之所以將河畔上的違章屋稱為吊腳樓，乃是因為地基架在堤防上，因類似中國江南地區於河畔懸崖上架起的吊腳樓而得名。不過，江南地區的吊腳樓充滿了浪漫情懷，臺中的吊腳樓反映的卻是戰後初期移居人民生活的無奈。用木桁架鐵皮搭架的房子，不僅冬寒夏熱，極不宜居，居民還必須擔心河水暴漲有沖毀房舍之虞。由於臺中腹地有限，人口又不斷湧入，因此吊腳樓群也就從綠川開始擴散到了柳川甚至是梅川。

拍攝綠川沿岸時，可看到於綠川沿岸堤防搭建的吊腳樓群，照片中的橋梁應是今成功路的干城橋（已拆除），拍攝位置可能為今臺灣大道的櫻橋上。（余如季／提供）

臨時搭建的吊腳樓是當時都市生活的寫照，也曾被拍成電影呈現。金馬獎導演李行的作品《養鴨人家》便有吊腳樓的場景，是回味與認識當時居民生活樣貌的好途徑。

縱然這種違章建築為移居者提供了一個暫居的處所，然而這般房舍在市中心確實觀感不佳。儘管也因此延伸出許多市集帶動了綠川等地的繁榮，但考量都市發展、公共安全與環境衛生等因素，仍必須將其拆除改建。例如《自立晚報》1964 年 6 月 13 日報導當日凌晨 3 點 10 分綠川東街發生大火，燒毀了三棟房舍與另一棟房舍的屋頂，所幸搶救得宜，若是延燒至周圍的違章屋後果更不堪設想。

1970 年由已故攝影家余如季先生所發起的綠川同心花園城的美化運動是分批拆除綠川吊腳樓的先例。當時將部分的綠川吊腳樓居民與攤商移往建國市場，不過礙於預算不足，必須預先繳納 9 年 10 個月的租金進駐建國市場，這也開創了臺灣預售屋的先河。到了 1972 年 7 月 15 日，建國市場才正式啟用。

此外，1973 年 2 月 1 日陳端堂擔任臺中市市長後，於 1977 年 12 月 20 日期間拆除柳川的吊腳樓；梅川吊腳樓則一直要到 1991 年以後才拆除。最後，因鐵路高架化的建設之需，2010 年 11 月便拆除了民生路 26 巷的 39 棟吊腳樓。

｜現代化的一大步｜鐵路電氣化與雙線化

1970 年後隨著臺灣重工業產值逐漸超越輕工業，臺灣對外貿易日益發達，鐵路運輸人次也逐漸攀升。早在 1966 年 10 月 31 日起，臺灣便已引進 DR2700 型柴油客車及 DR2750 型專用拖車，當時從臺北到高雄僅需四個多小時，後續引進 R100 型柴電機車 (17) 以增加鐵路運輸量。儘管如此，1973 年以前的鐵路系統與承載力因為受限於蒸汽火車、柴油客車，造成火車頭產生動力輸出不足，無法再加掛車廂增加載客量，致使乘車擁擠，而車次的增加也導致火車經常誤點，發生難以消化旅客與貨物等窘境。

1974 年至 1979 年間推動的十大建設，鐵路電氣化便是其一。為了提高載客人數與貨運量，當時估計此項建設足以增加運輸容量 30%至 50%，並能提高列車速度、降低運輸成本。1973 年起計畫實施電氣化工程，以西部幹線縱貫線全線進行架設 1,153 公里長的高架電纜，由於工程無法一次到位，因此採用施工與營運並行。臺中火車站在鐵路電氣化工程完成後，第一代自強號EMU100型電聯車 (18) 於 1978 年 8 月 15 日經由海線，途經成追線開抵臺中，而鐵路電氣化工程也於 1979 年 6 月 26 日全線完工，同年 7 月 1 日全線電氣化啟用。

由於城市發展飛速，1980 年初臺中火車站周圍就有大大、千越、北屋、遠東等大型百貨公司，吸引眾多購物與逛街的人潮，除了本地人外，也有許多來自其它縣市的觀光客與消費者。又如第一市場（1988 年後改建成第一廣場）、建國市場、第四市場等大型市場，也是家庭主婦與餐廳等大量採購的好去處。建國市場 (19) 更因可大量採購而壓低價格，從臺中往南到彰化、往北到豐原潭子都有人前來採買。這些外縣市的居民大多是以火車作為首選的交通工具，因此臺中火車站的運載量便達到了空前的盛況。

為了因應運輸的需求，勢必得增加火車的運載能力，例如增加班次等措施。然而此時只有單線鐵路，興建第二條鐵路來滿足載客需求成為一種必須，因此鐵路電氣化後，山線鐵路雙線化的議題便不斷被提出來討論。最終的結論是，交通部決定在 1990 年以前完成山線、海線、高屏線及北迴線的雙軌鋪設工程，山線全線雙軌化則要等到竹南至豐原間的雙軌化工程完工後才能實現。歷經 11 年的施工期，竹南至豐原間的雙軌化工程終於在 1998 年 10 月底完工。

根據《聯合報》1978 年 4 月 14 日的報導，經預估概算山線鐵路雙線化工程的花費約為 37 億元。彼時為了配合山線雙軌工程臺中、成功間架設電車線等施工需求，經常必須停駛封鎖鐵道，例如 1987 年 4 月 21、22 日之間便封鎖了臺中火車站到成功站的鐵路。當時的人們經歷了交通建設的陣痛期，但在臺中至豐原間的臺中線雙軌鐵路通車後，也增加了火車班次與行駛速度，鐵路交通終究是獲得了進一步的提升。

拉鋸戰｜火車站的拆除與保留

由於現體車站的運載量不足，路面鐵道也因經過許多主要幹道而設置了平交道，造成交通壅塞的現象，戰後不久改建臺中火車站的議題終於浮出了檯面。《民聲日報》1962 年 11 月

8 日報導指出，時任臺中市長邱欽洲建議鐵路局將火車站改建為兩層樓建築，並將二樓規劃為餐飲空間，同時建議將鐵路地下化。

邱欽洲市長的建議礙於經費等因素最終未獲落實，臺中火車站也就這麼繼續沿用下去。然而鐵路的載客量雖有提升，車站大廳也早在 1950 年便進行擴建，還是難以容納川流不息的人潮，在尖峰時刻排隊買票的人龍延伸至車站外頭已成常態。

1968 年時，臺灣省交通處委託都市計畫專家黃寶瑜教授研擬「臺中火車站及廣場改善重建計畫」，規劃未來臺中火車站將以「聯合車站」為興建原則，亦即把火車站與公車轉運站整合成一棟大樓。據《經濟日報》1968 年 6 月 10 日的報導內容，當時「臺中火車站及廣場改善重建計畫」已交給臺中市政府研究，市政府預定呈請省政府進一步討論決定後實施，報導中也稱不久的將來可能在臺中火車站現址興建一座高達十層的現代化鐵路、公路聯合車站。

此外，當時也規劃出臺中火車站前地下道。《經濟日報》在同年 8 月 8 日的報導指出，時任臺中市政府建設局長林有禮，代表市政府提出拆除原本東區與中區之間跨越鐵路的天橋改為地下道，並在火車站前興建「Y」字形地下道以連通臺中火車站，分別於中正路（即今臺灣大道）及中山路設置地下道出口。

然而要將臺中火車站與周圍轉運站整合成十層樓大廈的計畫，也礙於各種因素終究成為泡影，只有地下道建設完成。儘管如此，關於臺中火車站的改建與規劃仍不斷被大眾討論，甚至臺中鐵路究竟是要進行地下化或高架化各界始終爭論不休。直到 1992 年 6 月 22 日臺灣省政府委員會議通過臺中火車站聯合開發第一期工程財務計畫案，提出臺中火車站改建工程，同時也規劃將占地 12,000 餘平方公尺的臺鐵宿舍群（臺中市建國路、南京路、八德街與武德街所圍成的區域）拆除改建為多棟商業辦公大樓，包含建國市場在內。

拆除臺中火車站的議題，已引起學者與當時臺中市部分市民的關心，而保留火車站的聲音也陸陸續續發出。1995 年臺中鐵路即將地下化，預定隔年動工，臺中火車站拆除改建的構想也被提出。當時鐵路局認為應拆除臺中火車站，原地建造一棟綜合性高樓以負荷臺中火車站輸運的人潮；但許多專家學者與部分民眾則認為有關單位應將臺中火車站列為古蹟或歷史性建築物保存。

其時不只臺中火車站面臨拆除命運，從北到南有新竹、臺南、高雄火車站都將要被拆除，還因此引發了全島大串聯。各地的文資保存團體也如雨後春筍般地聲援保存車站，如高雄的戲獅甲文史工作室、臺中火車站再生後援會、新竹文化協會、鐵道文化協會等。

有關臺中火車站是否應列為古蹟則已轉為拉鋸戰，各方見解不一，其中又以鐵路局最是強烈反對。當臺中市政府向內政部提出指定古蹟的提議時，鐵路局一度提出申覆，然而歷經一番拉鋸後，臺中火車站與前門廊、第一月臺在 1995 年 4 月 22 日終於被指定為第二級古蹟。1998 年精省後，2000 年 1 月第三次《文化資產保存法》修法，在隨後修訂的施行細則中將原有省定古蹟「升格」為國定古蹟，臺中火車站也就這麼跟著變成了國定古蹟！

臺中火車站 (20) 雖然已被指定為古蹟，但當時省政府卻又突然提出「搬遷舊站」的構想，以便完成地下化新建工程。這個想法再度掀起一陣風浪，《經濟日報》在 1995 年 9 月 27 日的報導就提到，時任省長宋楚瑜認為可以朝古蹟遷移方式進行，現址則改興建商業大樓，如此既可保存古蹟，又不致影響都市發展更新的計畫。不過學者與文資保存團體則認為，古蹟並非古物，無法隨意遷移，因此對於臺中火車站是否遷移的問題又形成了拉鋸。

臺中火車站的遷移與否，正反兩股勢力在臺中市角力持續許久。就在同年 10 月中旬，內政部宣告「二級古蹟臺中火車站不得遷移」，終於替這場官與民、利益與古蹟保存的角力暫時畫下了句點，臺中火車站得以原地保存。雖然如此，臺中鐵路地下化與周邊開發等問題仍舊繼續拉扯。

然而這個問題的討論，卻被一場突如其來的大地震打斷了……

【右頁圖】民國 84 年 4 月 22 日內政部公告指定「臺中火車站」為第二級古蹟的公告。（遠景編輯部／翻攝）

臺灣省政府公報八十四年夏字第四十七期

主旨：臺中市西區向上路一段十七巷一弄五號賴文欽明知英國 Wellcome 大藥廠製造之威康納片（俗稱紅藥 Wellconal 或 Diconal）係未經行政院衛生署核准輸入之禁藥，竟連續輸入並販售予不特定對象，案經臺中市調查站查獲，並經臺灣高等法院臺中分院判處有期徒刑貳年併科罰金新臺幣伍萬元。緩刑伍年在案，請注意查緝，依法處理。

說明：依據臺灣高等法院臺中分院八十四年五月八日中分維刑振決字第一九二號檢送文件表辦理。

處長 林克炤

本案依分層負責規定授權主管科長決行

教育文化

臺灣省政府教育廳函

中華民國八十四年五月十七日
八四教五字第五九二六九號

受文者：公私立各級學校暨社教機構

副本收受者：教育部、民政廳、本廳第一科、第二科、第三科、第四科、第五科

主旨：轉發內政部公告指定「臺中火車站」爲第二級古蹟、「枋橋建學碑」爲第三級古蹟（如附件），請配合加強宣導。

說明：依據教育部八十四年五月四日台(84)社字第〇二〇三八九號書函辦理。

廳長 陳英豪

四

內政部公告

中華民國八十四年四月二十二日
台(八四)內民字第八四七六六四〇號

主旨：公告指定「臺中火車站」爲第二級古蹟、「枋橋建學碑」爲第三級古蹟。

依據：文化資產保存法第二十七條及同法施行細則第四十條。

公告事項：

古蹟名稱	等級	位置	涵蓋範圍
臺中火車站	第二級	臺中市建國路一段一七二號	臺中火車站舊廈本體、前門廊及第一月台
枋橋建學碑	第三級	臺北縣板橋市文化路一段二三號（臺北縣板橋市板橋國民小學校園內）	以碑座向四周伸展二公尺爲範圍。

部長 黃昆輝

臺灣省政府教育廳函

中華民國八十四年五月十七日
八四教四字第五九二六三號

受文者：各縣市政府

副本收受者：本廳人事室、第四科

主旨：轉發教育部修正「國民中小學教育人員甄選儲訓及遷調辦法」（見本期法規類中央法規欄），請查照。

說明：依據教育部八十四年五月八日台（84）參〇二〇九六八號令副本辦理。

廳長 陳英豪

第三章

破舊立新

第二代到第三代臺中火車站

九二一大地震和 SARS 流行，是臺灣民眾心中不可磨滅的傷痕。對臺中火車站來說，這兩者的傷害也是無法忘記的：九二一大地震的震央位於中部，火車站旁的客運轉運站被震毀，臺中火車站則屹立堅持，卻滿目瘡痍。SARS 流行，飛沫傳染使人人自危，急遽減少了火車站的人流，又，外資進入臺灣，臺中火車站附近的劇院吹熄燈號，曾經華燈初上的臺中火車站，紅磚終於黯淡下去……

台中車站 Taichung Station

本書的作者之一朱書漢，是一位土生土長的臺中南區人，臺中火車站是他們小時候上學、補習、玩樂經常會途經的地標，想要約朋友同學逛街、吃飯、唱歌、或是借功課抄、一起猜考古題用功，都直接說：「前站見！」約在臺中火車站絕對不會找不到人，車站前來來往往的約會人潮也證實了這棟紅磚火車站的地標功用性有多麼強。

他或許也跟許多古早的祖輩、長輩一樣，以為這棟已經流轉了多層世代的火車站會理所當然地存續下去，作為他們這些年輕人的約會指標，然而誰料得到一場九二一大地震竟一夕之間將車站震成了危樓，害得他們這一夥朋友好一段時間找不到約見面的地點。不過看到旁邊的臺中客運轉運站直接被震成一堆瓦礫碎片，不禁還是讚嘆了一下——這棟火車站的結構確實堅實。

但讓火車站風雨飄搖的，還不只是這一場震災。他這一輩也歷經了席捲全臺的 SARS 風波，這場風波不但用口罩考驗了所有人性，更像一記催淚彈轟散了原本聚集在火車站的人潮。當時那家低消要八百元起跳、讓他們只能羨慕地抬頭仰望的金沙大樓旋轉餐廳就在 SARS 的威脅下結束營業，之後又歷經火災，更導致以其為首的中區商圈欲振乏力。這些人潮的消失、店鋪的關閉、大樓的空廢，都不免讓當時甚至必須依靠鋼樑支撐的臺中火車站看起來有些黯然，像是一位受傷的老兵晚年。

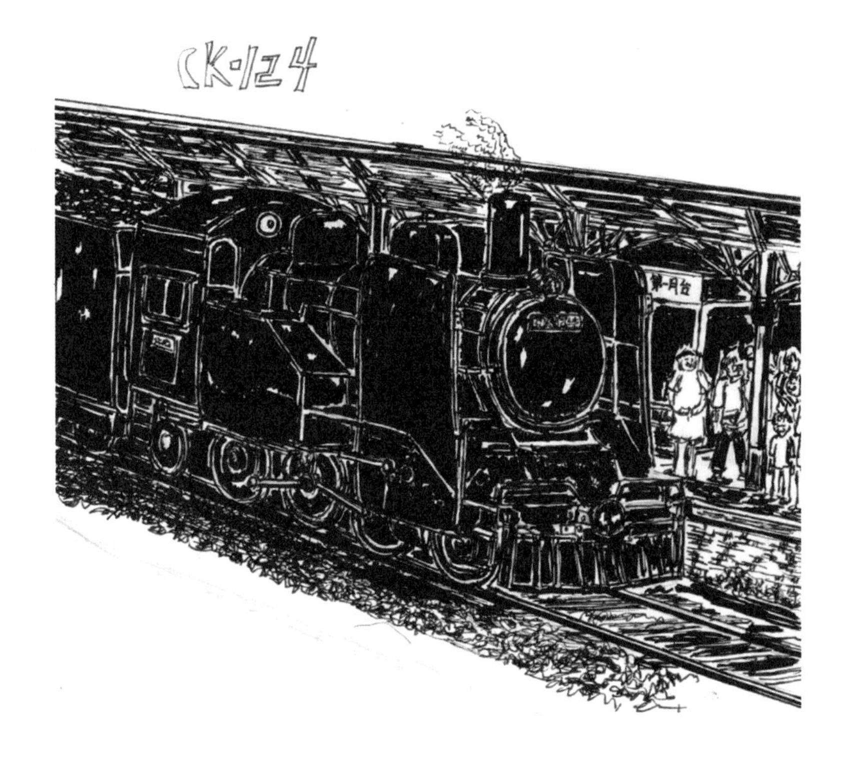

今日但凡臺中火車站有重大節慶，幾乎都會請出蒸汽火車助陣，圖為 2015 年臺中火車站建站 110 年時以版畫效果繪製呈現的 CK-124 蒸汽火車，當時連已在臺中火車站工作 36 年、時年 78 歲的擦鞋匠「阿旺師」黃藤旺得知臺中站 110 歲生日，還主動提出免費擦鞋 50 人為活動讚聲。（朱書漢／繪）

朱書漢之後還是會約朋友、同學在臺中火車站見面，偶爾也會回頭看看它，想起上一個世代可能也曾有人跟他做著一樣的動作，心境或許不同，但對它的祝福應是一致的。

｜地動山搖｜九二一大地震後的再生

1999 年臺中火車站又面臨大地震的挑戰，那是一起發生於 9 月 21 日上午 1 時 47 分 15.9 秒，芮氏規模為 7.3，震央位於南投縣集集鎮境內的九二一大地震 (21)。據中央氣象局地震測報中心第 043 號有感地震報告所述，九二一大地震震央位於中部，因此臺灣中部地區遭受到空前的破壞，而在震災中傷亡的人數以臺中縣東勢鎮最多，共有 358 人死亡，當時臺中市的死亡人數則為 113 人，全倒戶數有 1,484 棟。

彼時臺中市震度為 6 級，除了民宅以外，許多公共建築也分別受到不同程度的損傷，如臺中客運轉運站倒塌、建國市場結構受損被列為危樓等。遭逢這場天災衝擊的臺中火車站，經鑑定後亦在危樓名單中。由於臺中火車站既是古蹟又是具指標性的建築，因此媒體也披露了相關消息，如同年 10 月 1 日的《聯合報》便以〈臺中火車站　古蹟成危屋〉為題，報導臺中火車站右半邊候車室的梁柱與天花板出現大裂縫，候車大廳的三面牆壁龜裂嚴重，三支橫樑裂開，就連屋頂尖塔也顯露裂痕。後再經鑑定，認為臺中火車站的尖塔與候車室有倒塌的可能，便封閉了候車室與旅客進入月臺的剪票口，並將部分第一月臺改為候車之用。

九二一大地震與昭和 10 年（1935 年）的臺中大地震皆造成山線鐵路的嚴重損壞，甚至一度無法運行。如全長 7,728 公尺的三義一號隧道因地震受損後，發生拱頂坍塌，因而打落電力供應線路並使鐵軌扭曲變形，而大甲溪橋的 4 座橋墩及為支承、分布和傳遞上部結構的荷載帽梁也龜裂、移位，導致山線鐵路中斷停駛。

在山線中斷之後，許多列車皆改以海線行駛，例如當時北上的自強號列車抵達臺中站後都改由海線行駛，南下的自強號列車則一律由海線行駛而不進入臺中火車站，導致欲由臺中火車站南下的旅客必須先行搭車至彰化轉車。如此的周折非但造成鐵路交通不便，海線通行火車的增加更致使列車嚴重誤點，

臺中火車站軸線鐵道現況，已不復想像當年地震帶來的損害。

大大影響了鐵路交通運輸的順暢。

那麼當時的因應措施又是如何？原來是藉著分別由臺北、桃園、中壢、新竹往臺中，以及臺北往苗栗、臺北往豐原等客運班車的增加，分擔鐵路運輸的承載負荷。最後，山線鐵路於是年 10 月 8 日搶修完成並恢復通車，終於解除轉車的困擾。

儘管已能通車，臺中火車站的站體卻尚未完整修復，原因是顧及古蹟的重要性，因而仍需審慎評估與規劃修復工作，在此之前僅能先進行相關的補強工程。 2000 年 3 月 17 日《聯合報》便以〈火車站復舊　沒錢難辦事〉為題，報導當時內政部發給臺中市政府重建專款 450 萬元作為緊急支撐工程費用，但畢竟只是緊急施工處理況且經費有限，因此只能先以鋼柱做緊急性的支撐。臺中火車站的完全修復則需更巨額的經費與規劃，因此當時的行政院九二一震災災後重建委員會擬修復中部災區的 43 處古蹟時，便預估了臺中火車站的修復經費為 7,500 萬元。

由於古蹟修復並不像一般房舍可以更好更省錢的新材料替代舊材料，甚至若遇修復經費高於重建經費時還能選擇拆除重建。古蹟的修復需經審慎評估，除了必須盡量使用建物舊有的材料進行修復外，尚須考量是否會因「過度修復」將古蹟翻修得過新，喪失原有的時間感。就在一番緊鑼密鼓的修復規劃、經費撥款的進行後，臺中火車站終於在 2001 年由何肇喜建築師事務所開始進行整體修復工程調查研究及修護計畫。

然而就在規劃階段中，2002 年 3 月 31 日又發生了芮氏規模 6.8、全臺有感的三三一地震，雖然臺中地區的震度只有 3 級，但臺中火車站原本損壞的牆體卻又出現了位移，加劇損壞

攝於 2015 年 8 月 7 日兩棟大樓間的臺中火車站，除了後方第三代火車站尚在興建外，亦可見火車站前的公車站。拍攝地點位於臺中市千越大樓，約自 1996 年起便難以招租，是一棟閒置空間較多的大樓。

程度，所幸同年11月20日終能進行結構補強及鐘樓修復工程，並於2003年6月10日完工。

結構補強工程完工之後，緊接著便是外觀與材料的修復。在制定完成《第二級古蹟臺中火車站整體修復工程調查研究及修護計畫》報告書後，便開始發包施工，並於2004年12月1日舉行臺中火車站開工典禮，進行諸如蟲蟻防治、屋架及木構架修復等工程；此外，在去漆工程中，不僅將大家印象中紅白相間的臺中火車站恢復為洗石子與紅磚原色，同時亦將1995年更換為鋼浪板的屋頂改成原本石板砌成。

到了2005年，臺中火車站的修復終於進入尾聲，由於明治38年（1905年）興建第一代臺中火車站至此正好滿百年，百週年紀念活動(24)遂熱鬧舉行，同時還開行蒸汽火車(22)慶祝。臺中火車站的修復工作最終於是年10月底完工，並擇11月5日於臺中火車站站前廣場舉行「臺中車站修復完工典禮暨慶祝活動」，活動內容包括日間的完工典禮、夜間點燈儀式暨晚會等，讓眾人一同見證臺中火車站的重生。

雖然當時的臺中火車站獲得新生，但修復進行的2003年卻發生了一件令人意想不到的事，儘管此一事件帶來的衝擊並未造成火車站站體與其周邊設施的受損，卻成為重創臺中火車站周邊繁榮的原因之一，甚至因此讓中區的發展走向衰退的谷底。

中區罩陰影

SARS 的衝擊與站前區域衰退

若說可與九二一大地震相提並論，讓所有臺灣人永生難忘的災難，大概非 SARS 莫屬，而這場大規模的流行傳染病亦是壓垮臺中火車站周圍繁榮的最後一根稻草。從 2003 年 3 月 14 日臺北市首發 SARS 病例開始，雖然在進步的醫療體系下，同年 7 月 5 日世界衛生組織即已宣布將臺灣從 SARS 感染區除名，然而這段期間對於臺灣的產業尤其是觀光、娛樂業的打擊至鉅。

由於當時 SARS 是以飛沫傳染為主，因此除了戴口罩，降低進出公共場所與密閉空間的次數都是避免傳染與疫情擴散的方式，而減少搭乘大眾運輸亦然。SARS 的影響也反映在臺中

SARS

嚴重急性呼吸道症候群，是由嚴重急性呼吸道症候群冠狀病毒所引致，傳播途徑包括被感染者的飛沫傳染，於 2002 年在中國廣東順德首發，並擴散至東南亞乃至全球，直至 2003 年中期疫情漸被消滅的一次全球性傳染病疫潮。

火車站的客運人次上，根據臺中市政府主計處《統計年報（100年）》交通運輸統計，2003年臺中火車站客運量為13,306（千人次），較2002年的15,158（千人次）銳減了1,852（千人次）。雖有人質疑，是否與2003年新啟用的太原火車站吸收了臺中火車站的搭車人潮有關，但2003年太原火車站客運量僅為400（千人次），與臺中火車站所減少的人次相距甚遠；此外，於1998年設站、與臺中火車站相鄰的大慶火車站，2003年的客運量為694（千人次），相較於2002年的727（千人次）也減少了33（千人次）。不只是臺中地區，臺灣其它大城市的火車站日均進站人次都在當時呈現出明顯的下降趨勢，甚至許多地方的旅客人次必須歷經數年才得以再度恢復至2002年的水平。

除了臺中火車站的運載量受到影響，SARS疫情過後，臺中火車站周圍陸續有豐中、森玉、南華、豪華及一加一等戲院倒閉退場。這些戲院除了因SARS的衝擊而減少觀影人數外，或許也和七期開發與外資戲院進入市場息息相關，由於外資戲院擁有龐大資金、易於取得強檔好片，再加上結合購物商場的複合式經營策略，都使當時臺中火車站周圍的傳統本土戲院在

駁坎

擋土工程的一種，屬於比較傳統的施工方式，臺中鐵道的駁坎使用直徑約 25 ～ 30 公分左右的卵石、以堆砌的方式構築而成，而卵石間的縫隙則用混凝土加以黏著，使整個駁坎成為一穩定的構造物。當初臺中鐵道之所以興建駁坎，主要是為應付地勢北高南低坡度變化大，因此興建土堤以減緩高度落差，並以駁坎加固，讓鐵路更適合火車行走。

【右頁圖】2015 年 6 月 19 日透過火車站附近的高樓以移軸攝影所攝的臺中火車站，除了如模型般的效果外，更可看出高架鐵道的高度。

票房與經營模式上備受強烈打擊。

SARS 一疫讓臺中火車站與其周邊發展一度跌入沒落的谷底，即使主要道路與臺中火車站依然車水馬龍，卻早已不見當年鼎盛時的人山人海，諸多街道門口羅雀，不少戲院與百貨空屋閒置。蕭條的狀況也引起當時的臺中市政府關注，開始進行美化與建設，亦積極規劃後續的建設，而當中最為宏大的，即是臺中新火車站的建設與鐵路的高架化。

鐵道飛上天

新臺中火車站的建設與鐵路高架化

臺中路面鐵道的改善方案始終備受各界關切與討論。首先，路面鐵道一直是中區與東南區交通的一大阻礙，雖然其中有不少路段早已架設鐵橋因應車水馬龍的交通，如民權路與臺中路交接口的臺中路鐵橋、民生路上的民生鐵橋、國光路與林森路交接口的林森鐵橋等，在軸線上便規劃設計用以解決駁坎造成的交通阻隔，這種獨特的設計被稱為火車路空。

2015 年 4 月 4 日拍攝的臺中路鐵橋，由於高架橋主體已經完工，遂形成一高一矮的「火車路空」！

其次，隨著臺中市的發展漸往郊區移動，都市也沿著鐵道蔓延開來，而礙於此種路面鐵道的設計，一般道路通行便須設置平交道，1986 年的山線鐵路經統計共有 48 個平交道，眾多的平交道除了造成道路交通阻塞外，連帶減緩了火車行進的速度，同時也是平交道交通事故頻繁發生之因。

在鐵路未能地下化或高架化之前，為求解決鐵路平交道造成的交通壅塞，便改採增設地下道的方式，如美村路地下道、

從大魯閣新時代購物中心 11 樓拍攝復興陸橋，足見陸橋的大角度彎曲。

五權路地下道等，另外也興建了陸橋以改善交通，如文心南路陸橋、復興陸橋。

儘管這些設施解決了既有問題，卻也衍生出其它困擾。由於地下道的地勢低窪，經常因雨天積水，嚴重時甚至會造成汽車拋錨甚至有滅頂之虞；陸橋因坡度變化大，加上如復興陸橋的設計為彎曲狀，時常因車速過快等因素造成交通意外，例如 2017 年 4 月 6 日《自由時報》便以〈43 年死 40 多人　臺中

復興陸橋將拆　交通指引牌就位〉為題，報導復興陸橋[25]自1974 年興建完工到 2017 年拆除的 43 年間，因車禍造成的死亡人數就逾 40 人，當中有不少是因車禍或自摔墜落橋下致死，因此陸橋兩側也曾增設有欄杆防止人車摔落。

此外，火車路空鐵橋也曾發生過重大意外，即 2002 年 8 月 9 日一班自強號列車於臺中火車站南端發生出軌事故，中斷南北雙向通車。《大紀元時報》曾以〈臺中列車出軌肇事原因貨櫃車未遵守限高制度〉為題，詳細講述事故發生的原因正是

臺中市區鐵路高架
市府希望及早辦理
近期將清查沿線地籍及都市計劃資料
以供上級研擬方案之參考用

【臺中訊】臺中市府昨（十五）日決定近期內由工務局著手清查市區鐵路沿線地籍及都市計劃資料，供上級機關在研擬中市縱貫鐵路高架方案時參考之用，市府希望臺中段鐵路高架先從市區做起，以改善市區交通。

臺中市段縱貫鐵路約長十公里，進行高架市府初步估計約需經費廿餘億元，市府認為鐵路高架後所騰空之土地可以利用，如予出租，收入足敷工程費用。市府並認為：市區內鐵路高架應及早辦理，以免日後在交通問題愈益嚴重時再辦理，勢將增加處理方面的困難，市府說：臺北市的情形，就是最好的前車之鑑。

臺中市段鐵路高架方案，市府原來的計劃是將潭子至烏日間縱貫鐵路全部高架，省交通處已函請交通部進行研究，市府亦已函請交通處轉交通部早日邀集有關單位進行研商，但迄未獲得進一步答復。

市府工務局昨日表示：本年度承要交通工程中的火車站前地下道及北屯圓環工程，省住宅及都市發展局已應允在四月以後抽調人員辦理，近期內將先行撥出設計費六十萬元，並開始辦理地下埋設物資料調查。

報紙上的呼籲：「臺中市區鐵路高架　市府希望及早辦理」。（引自《自立晚報》，1979 年 3 月 16 日，第 7 版，遠景編輯部／翻攝）

貨櫃車未遵守限高的規定，4.2 公尺的車身高度欲通過標高 3.7 公尺的臺中路高架鋼梁橋下方道路，造成橋上鐵軌變形，使通行的自強號列車煞車不及出軌後撞上月臺導致車廂翻覆，翻覆的車廂又扯斷電線桿因而中斷了鐵路運輸，所幸這班自強號列車是要前往豐原站的回送車，車上並無搭載旅客，才未釀成更大的災禍。

其實早在 1979 年時，臺中市政府便有鐵路高架化的打算，並且開始調查鐵道沿線的地籍，《自立晚報》在該年 3 月 16 日即有〈臺中市區鐵路高架　市府希望及早辦理〉的報導。臺中市政府是在 3 月 15 日決定近期內由工務局著手清查沿線地籍及都市計畫資料，此一決定也獲中央支持，然而當臺中市政府編列 400 萬元作為研究規劃經費時，市議會卻認為鐵路高架化並非當務之急，並以費用應由中央支出為由刪除了規劃鐵路高架化的經費。

如前所述，最初的規劃與構想是將臺中鐵道改成地下化，然而在 1993 年提出的臺中鐵路地下化方案中，建設與徵收土地等費用就高達 620 億元！也因此臺中鐵道的高架與地下化便

第二代臺中火車站。

有了日後的正反拉鋸與討論。

臺中火車站的興建與鐵路高架化議題再度浮上檯面是在1998年4月20日時，當時的臺灣鐵路局提出了鐵道高架化新計畫，在計畫中選定18個路段開始實施，山線高架鐵路也名列其中。2001年4月時，交通部邀集了臺中市政府等單位開會研商「臺中市區鐵路地下化工程」相關事宜，基於財政考量，臺中市政府決議臺中鐵道要朝節省經費的方向進行，並全面檢討原鐵路地下化的工程內容、建造型式、施作範圍、推動期程及財務計畫等。

不過，囿於經費不足等因素，臺中鐵路地下化的規劃最終還是改為鐵路高架化，除了高架化鐵路的建築費用較鐵路地下化低廉許多，橋下的新生土地還可作為停車場、商場、遊憩場所等多種用途，於是臺中鐵路高架化工程就此確立並開始著手規劃。

在2005年8月9日的《聯合報》報導中指出，交通部計畫耗時七年完成豐原到臺中鐵路的高架化工程，預估經費為300億元，臺中縣豐原到臺中市大慶約21公里的鐵路將高架

2015 年 6 月 20 日新火車站與高架化鐵路的施工狀況，當時的火車站已具雛形，鷹架等施工設施尚未移除。

化，並訂於 2012 年完工。同時，也計畫施工期間停開豐原到臺中的列車，如此一來，不僅能縮短三年工期還能省下 20 億元的經費；此外，除了既有的臺中縣豐原、潭子站、臺中市的太原、臺中和大慶等五處車站，亦規劃分別在尚未縣市合併前的臺中縣增設豐南、松竹，臺中市增設精武、五權等四簡易站。

雖然高架化鐵路的規劃已步入正軌，但其實仍有諸多尚待改進之處。舉例來說，藉由停開豐原到臺中的列車達到節省高架化經費的做法顯然存在著問題，當時的配套方案是提升公車輸運，但這不僅增加了交通時間也會造成一般道路的交通阻塞，即使可節省 20 億元經費，卻未顧及其餘機會成本，例如通勤時間的大增與不便所導致通勤人口的減少等，影響與經濟損失難以估計，因此仍需審慎評估。

到了 2006 年 1 月 2 日，「臺中都會區鐵路高架捷運化計畫」終於在行政院經濟建設委員會第 1236 次委員會議中獲得通過，此一計畫的總經費為 288.31 億元，含用地費 71.68 億元、細部設計費 5.63 億元、工程費 211 億元。

此後再經詳細的規劃與設計，2009 年 9 月 24 日高架化鐵路工程率先由豐原段開始動工，接著是潭子段臨時軌與太原至精武段軌道工程，而高架化工程全長有 21.7 公里，自豐原以迄大慶車站間的鐵路高架化也消除了 17 處平交道、18 處地下道(26)和 3 座陸橋，鐵路長期以來造成的都市隔閡與平交道安全問題終獲解決。

其後工程處預估，臺中鐵路高架化計畫可望於 2015 年 12 月通車啟用，並於 2017 年 3 月全部竣工。不過當時烏日站與新烏日站並不在「臺中都會區鐵路高架捷運化計畫」中，儘管也引起不少反彈，最終仍礙於經費等因素而無法列入。

這段期間，除了高架化鐵路工程外，新站工程亦同步進行。「臺中都會區鐵路高架捷運化計畫」非但將大慶、臺中、太原、潭子、豐原等五座既有車站改建為高架車站，並將臺中車站擴增為三月臺、五車道，也增設豐南、松竹、頭家厝、精武與五權站等五座通勤站，將各車站的平均間距縮短為 2 公里。最後，松竹站、太原站、精武站、五權站及大慶站車站主體工程於 2012 年 7 月 22 日開工，同年 7 月 25 日開工的則是豐原站、

2015 年 3 月 16 日於建國市場頂樓拍攝的新臺中火車站興建工程，可看出工程單位是先搭建好屋頂後，再逐步增建抬升。前方的停車場原為臺鐵舊宿舍群，2014 年 7 月拆除。

栗林站、潭子站、頭家厝站車站主體工程。

緊接著，臺中車站高架化新站工程也於是年 9 月 28 日動工，由曾任東海大學建築系系主任的建築師張樞負責設計。此一新臺中火車站高 37 公尺，約 12 層樓高，將是全臺最高的火車站，且站體面積約為第二代臺中火車站的 4 倍、第一代臺中

2016年5月1日從建國市場拍攝的新臺中火車站，此時新火車站建築體已經成形，屋頂已定位，停車場也已封閉作為其它規劃。

火車站的16倍，同時，新建的臺中火車站站體是以混凝土與鋼構建蓋而成。因為站體大增，所以新臺中火車站並無前後站的區分，而是分別對應著復興路、建國路以及原有的站前廣場，車站二樓還設有大平臺與樓梯向站前廣場延伸，此般設計的用意在於表明舊臺中火車站已然功成身退，新臺中火車站接棒延續了臺中的鐵路運輸任務。

至於這座新火車站的設計特點又是什麼？原來這座地下一層、地上三層的高架車站為全臺首座開放式火車站，一樓規劃

新火車站建造中，攝於 2015 年 6 月 19 日。

為計程車、公車轉運站和商店，二樓作為穿堂與大廳，三樓則為乘車處；月臺共設有三座，第一及第二月臺為島式月臺，第三月臺則為側式月臺，合計五條股道，作為列車停靠與交會列車等用途；車站內部的設計則融合了舊火車站的元素，如紅磚牆面、洗石子與浮雕等等，而刻意挑高的屋頂與大廳則為增加通風與採光，因此設計之初並無加裝空調設備，且屋頂也裝設有太陽能。有趣的是，屋頂的弧度設計眾說紛紜，有認為外形貌似蝴蝶展翅，也有一說如老鷹展翼，不過對於這些說法，建

2016 年 10 月 15 日於復興陸橋上所攝當日最後一班在地面鐵道行駛的太魯閣號通過復興陸橋北上。2008 年 2 月 25 日太魯閣號首次由花蓮駛至彰化，此後為疏運需求，臺中火車站也增加太魯閣號停靠的班次。

築師表示並無刻意的設計意象，欣賞的角度便也見仁見智了。

歷時七年，豐原到大慶全長 21.7 公里的高架鐵路已然完竣，其它站體雖仍在緊鑼密鼓地施工，但也初具運輸功能，於是便啟用了第一階段通車。隨著 2016 年 10 月 15 日 20 時 55 分發出最後一班由屏東到七堵的北上自強號列車，21 時 02 分發出最後一班由新竹到斗南的南下區間車，這最後一班南下與北上的火車離去後，第二代臺中火車站與沿線的大慶、太原、潭子、豐原火車站舊有的運輸功能以及地面上的鐵道正式功成身退，16 日凌晨便進行高架鐵路切換，各級列車從此行駛於高架鐵道 (27) 上，宣告新臺中火車站 (28) 與豐原、潭子、太原、大慶火車站一同啟用通車。

再見，老屋記憶

消失的臺中火車站周圍建築

新的開始是舊的結束，隨著新臺中火車站通車，許多相關設施如原先的鐵道軸線與沿線的 17 處平交道、18 處地下道和 3 座陸橋也隨之拆除。另外，為了配合臺中火車站的站前規劃，早在 2014 年 7 月即拆除了圍繞建國路、成功路、武德街與八德街的臺鐵宿舍群，暫時作為停車場使用，2016 年 8 月開始興建轉運站，同年 11 月 29 日啟用，同日又拆除了 1964 年興建的國光客運臺中轉運站。最後，2016 年 12 月 5 日晚間 10 時至

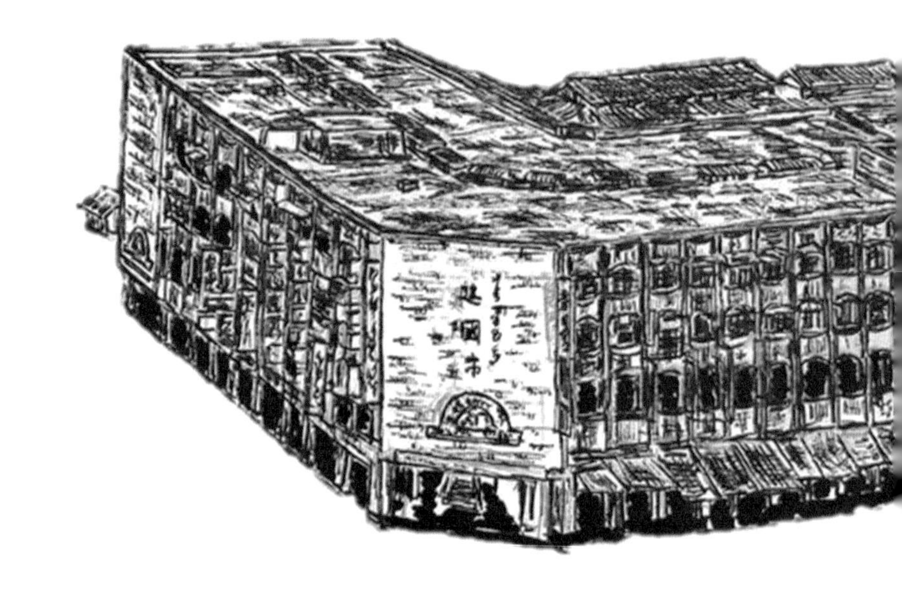

手繪建國市場全覽圖。建國市場建立之初連同周圍市集共逾 2,000 攤位，當時是全臺最大的市場聚落，然而在建國市場搬遷後，盛況漸逝。（朱書漢／繪）

6 日早上 6 時則拆除了臺中客運站所在。

除此之外，興建於 1972 年的臺中建國市場也因新火車站的站前規劃，使舊建國市場連同周圍國防部的眷村宿舍面臨了拆除命運，其中建國市場的拆除日期較早。建成路的新建國市場於 2016 年 9 月 20 日啟用後，舊建國市場也在是年 9 月 30 日全面封閉，同年 10 月 20 日先拆除鐵皮搭建的蔬果區，10 月 30 日又拆除所屬的五金區，最後是 11 月 23 日開始拆除建國市

2016年2月6日於站前天廈大樓上所攝，淡藍色的八德街大貨車進出貨的喧囂繁忙，與昏黃安靜的新民街形成強烈對比。此處兩年前是大片的臺鐵宿舍群，六年前尚能見臺鐵宿舍燈火通明。

TED1016
TRA
E1038
TEMU1000型太魯閣號
E1000型自強號

2016 年 2 月 26 日記錄從復興陸橋下通行的火車，共有四種型號，分別為 TEMU1000 型太魯閣號、E1000 型自強號、EMU700 型阿福（小夫）號、EMU800 型，照片紀錄了這條鐵道與這座陸橋的交通奉獻。

場主體，並於該年 12 月初拆除完畢。

接下來拆除的是 1974 年興建、已通車 43 年的復興陸橋，以及橋下的住家及宛如臺中版光華商場的商店。事實上，2013 年 10 月因應鐵路高架化工程便已有拆除復興陸橋的消息傳出，當時橋下尚有 45 名承租戶，每戶租金 1,500 元，市府決議給予每戶 40 萬元的拆遷補償費。不過後來評估拆除陸橋將造成東區交通打結因而緩拆，直到 2016 年 10 月 16 日鐵路高架化後才正式規劃拆除，復興陸橋最後是在 2017 年 4 月 17 日開始拆除，同年 6 月 5 日開放通車。

其實尚有諸多建物都因鐵路高架化而拆除消逝，難以在此一一說明與介紹，但成長帶來的是樣貌的改變，城市的發展亦是如此，若無建設與更新，便易於老化與沒落；相反的，若能在不破壞現有的文化資產下進行都市建設，取得兩者平衡，那麼城市便得以創新而再生。至於那些因都市更新而被拆除的建築設施，若能多加保留照片紀錄，日後透過撰文說明曾經存在的歷史，則新舊與存滅將能美妙共舞。

就如國立成功大學建築系劉舜仁老師在關於臺中火車站的

拆除中的復興陸橋。在復興陸橋拆除前，已先進行橋底下隔間的拆除作業，由於 2013 年 10 月住戶搬遷後，常有塗鴉客來此塗鴉，為此還特別劃設了專區供街頭塗鴉，但這些塗鴉作品終因陸橋拆除而消失。

講座「如果在臺中，一座百年車站」中所提到：「凝視過去的積極性意義是為了改變現況與創造未來。如何在過去的文化資產及藝術創作的基礎上，持續累積、轉化、發展是最重要的課題，也是我們這一代人必須共同攜手努力達成的目標。慶賀臺中車站百年最好的方式，應該是投入城市的深耕與創新行動。」這才是新建硬體、老建物與軟體結合的方式。

高架鐵道與新火車站，期待老城區在保有歷史面貌下繼續運轉。 2016 年 12 月 4 日拍攝。

探尋遺蹤

臺中火車站旁的糖鐵

糖鐵為「臺灣糖業鐵路」的簡稱，又稱作五分車、五分仔車，原來的用途主要是運送蔗糖和旅客貨物，路線行經今臺中市東區、太平區、大里區、霧峰區、南投縣草屯鎮到達南投市，亦有學生將之當成「校車」，十分有趣。但是，在八七水災之後，糖鐵便因為現實因素，慢慢走入了歷史。

台中車站 Taichung-Station

這或許是老一輩的臺中人才熟悉的景象——背著書包、壓著校帽，奔往臺中火車站後方，趕上中南線的五分小火車，沿著復興路出發，往南投方向駛去。他們可能是穿著卡其色制服、就讀臺中郊區中學的的學生，聞著空氣中帶著甜膩與泥土的氣味，一邊背著早上要考試的單字或課文，偶爾讀累了，便會伸伸懶腰，遠眺一片廣袤無際的甘蔗田。

學生們或許無法搭臺中火車站月臺內的大火車去遠方，但這輛五分小火車卻是他們最親密無間的「校車」，也是臺中、南投地區的居民來往辦事的重要代步工具，即使公路局的公車漸漸增加南投與臺中兩地的運輸班次，已經習慣五分小火車上的氣味與行進節奏的他們還是依賴著它。

之後八七水災重創了中南線，學生只能搭乘公路局的公車去學校，卻因為人數過多、班次不足，導致上午的課程全數缺席，這時學生或許才意識到，古老的五分小火車對他們的生活實在太重要了。

然而再重要可貴的東西，面對又快又新的潮流演變，終究是敵不過強風吹拂。中南驛先是拆除改建成臺中後火車站 (36)，而那些糖鐵鐵道陸陸續續拆除，最後與周旁的柏油路融合為一，現在已完全看不到鐵軌的痕跡了……

充滿糖香的鐵道痕跡

曾經存在的中南線糖鐵鐵路

輕軌是近期相當火紅的議題，而在日治初期的臺中，除了縱貫線鐵路外，也有一條十分重要、供小火車行駛的鐵路。

若想認識這條鐵路，大家可至中央研究院人社中心地理資訊科學研究專題中心提供的「臺灣百年歷史地圖資訊系統」中，點選臺中市百年歷史地圖，看看臺中自建城至今的變化，其中在明治 44 年（1911 年）11 月測量製圖、大正 5 年（1916 年）2 月改訂測量製圖的〈臺中街實測圖〉中，皆標示了當年臺中市自來水管線的配置以及鐵道路線，當中除了原有的山線鐵道外，還有另從臺中火車站後出發，通往帝國製糖株式會社 (29) 的鐵道。此外，在臺中市百年歷史地圖的條目：美軍五萬分之一地形圖，則能更清楚得知臺中輕便鐵路的去向。

大正 10 年（1921 年）的臺中市航空攝影圖，圖中可見現在東區的景色，糖廠高聳的煙囪正冒著黑煙，以及縱貫線鐵路與中南線鐵路的身影。（引自《臺中市古老照片輯》，遠景編輯部／翻攝）

尤其在大正 15 年（1926 年）10 月製圖的〈臺中市區改正圖〉中，更是清楚標示了鐵道的具體位置，除了標出位於臺中火車站後方的中南驛車站外，也指出鐵道方向通往南投。這條被稱為中南線 (30) 的鐵路，是一條曾經存在於臺灣中部地區、用於運糖與運輸旅客貨物的鐵路，路線行經今臺中市東區、太平區、大里區、霧峰區、南投縣草屯鎮到達南投市，所行駛的列車為「五分仔車 (31)」，軌距為 762mm，總長約為 30 公里的單線鐵路。

這條中南線鐵路 (32) 屬帝國製糖株式會社管轄，而早在明治 36 年（1903 年）時，臺中廳便已規劃興建從臺中到南投的鐵道，當年1月9日的《臺灣日日新報》即以〈臺中廳の諸計畫〉為題，報導當時的臺中廳政府將規劃興建從臺中到南投，以及葫蘆墩到東勢角的輕便鐵路。

三年後，明治 39 年（1906 年）便建設了臺中通往南投的輕便鐵道，此一重大工程自然備受媒體關注，《臺灣日日新報》在該年 11 月 9 日便以〈臺中輕便鐵道〉為題報導臺中、南投間的輕便鐵道工程迅速，此時鐵路已可由臺中火車站後方的中南站行駛至萬斗六站，即今行政院農業委員會農業試驗所宿舍附近。萬斗六是霧峰萬豐里、六股里、峰谷里、舊正里的舊稱，平時除了使用五分仔車運輸帝國製糖株式會社所需的製糖用甘蔗外，也提供旅客運輸。

明治40年（1907年）的中南線鐵路已可通行至南投草屯，《漢文臺灣日日新報》同年 4 月 2 日的報導便以〈臺中輕便之全通〉為題，敘述當時中南線鐵路已延長至草鞋墩，開始行駛臺中到草鞋墩兩地的五分仔車，同時也規劃將鐵道延伸至南投

五分仔車

這些輕便鐵路所行駛的火車，因其軌距 762mm 只有國際標準鐵軌的軌距 1,435mm 的一半，因此被稱為「五分（五分是指一半的意思）仔車」，而在黃智偉〈五分車一世紀〉一文中則認為「五分仔車」此一名稱出自一般民眾，因五分仔車的名稱是源於經驗而非測量，且此一暱稱在大正 2 年（1913 年）便已被當成一般用語。日治時期的五分仔車主要以蒸汽火車為主，如目前行駛於溪湖糖廠的SL346蒸汽火車。

南投街

為大正 9 年（1920 年）到昭和 20 年（1945 年）間存在的行政區，轄屬臺中州南投郡，為今南投縣南投市。而南投郡也為大正 9 年（1920 年）到昭和 20 年（1945 年）間存在的行政區，轄域即今南投縣南投市、草屯鎮、中寮鄉、名間鄉等地。

街，甚至增加其它支線。

此後中南線接續興建從草屯到南投的鐵路，最後終於在大正 7 年（1918 年）完工。當時的工程費用約為 18 萬元，其中約有 9 萬元用於興建旱溪、草湖溪、坑口溪等河川橋梁。

鐵路建設在地方發展上確實占有舉足輕重的地位，《臺灣日日新報》在該年 6 月 29 日的〈中南線開通影響〉報導中說明了中南線鐵路對於沿線與南投街的影響，指出雖然中南線帶來了南投與往來臺中的便利性，但南投街的本地商人卻也擔憂起居民將改往臺中購物導致地方沒落。

現在許多交通建設完成後，也經常引起地方人士對於在地發展的憂慮，畢竟交通建設有利有弊，建設之前的溝通也就顯得極為重要，唯有多方考量、採納當地人的意見，力求在交通建設與地方發展上面面俱到，提出更完整的制度與思維去完善各種需求才能將爭議減至最低。

而一條重要的鐵路竣工後，舉辦盛大的慶祝活動似乎已成為了一種慣例，《臺灣日日新報》在同年 7 月 3 日的〈帝糖中南線全通式〉中即描述了 6 月 30 日於南投公園內舉行的中南線

位於當時臺中火車站後方的中南火車站外觀。後來經過改建，中南站便成為現在的臺中後火車站。（國家圖書館／提供）

鐵路全面通車典禮。當時參加全通式的來賓是在臺中火車站後方的中南火車站搭車，沿途停靠萬斗六（位於霧峰）、草鞋墩（草屯鎮舊稱）等站，最後停靠在南投火車站，除了典禮與表演外，入夜後還設有宴席款待佳賓，席設當時臺中第二市場旁、臺中地區的頂級餐廳，即今中山路上的富貴亭餐廳，場景盛況空前。

在中南線建設完成後，除了明顯改善交通，使糖鐵運輸成了來往臺中、南投的首選，也大幅增加兩地旅客的流動。根據氏平要、原田芳之合著的《臺中市史》的統計，中南線鐵路的

日治時期臺中市役所出版的《臺中市管內概況》第 147 頁的中南線火車站照片。（遠景編輯部／翻攝）

旅客運輸與票價收入從大正 6 年（1917 年）的 169,884 人次、34,107 元，至昭和 5 年（1930 年）的 673,832 人、181,304 元到達高峰，13 年間的旅客人次增長了 4 倍有餘。

另外，當中南線鐵路開抵南投後，也連接起明治 44 年（1911 年）興建使用的濁水線鐵路，隨後昭和 8 年（1933 年）再興建從南投街延伸至濁水庄的路線，使濁水線成為長達 9.2 公里的單線鐵路，並與自員林到二水同為輕便鐵路的二水線相連。而臺中到南投街的中南線，以及南投街到濁水庄的濁水線，兩條並稱為中濁線鐵路，總長達 39.2 公里。

改組大角力｜從同業組合到運輸會社

中南線鐵道的構築促進了中南火車站周邊發展日益繁榮，貨物輸送也帶動起地方的發展，《臺灣日日新報》在大正 6 年（1917 年）6 月 13 日即報導了帝國製糖株式會社旁的中南火車站發達盛況，就連商店也陸續新建林立。為了應付日漸繁盛的中南線鐵路運輸，中南運輸同業組合就此應運而生。

隨著沿線人口的增長、貨物運輸量的提升，這條鐵路線的重要性也水漲船高，而此種使用需求也反映在鐵道收入上，《臺灣日日新報》就曾於昭和 6 年（1931 年）3 月 17 日以〈中南驛況〉為題報導，當時中南線上的南投火車站在同年 2 月中共有 131 元的車票收入、999 元的貨運收入，運輸人次則達 2,409 人，貨物運輸達 399 噸。另據氏平要、原田芳之合著的《臺中市史》統計，大正 6 年（1917 年）中南線的年貨物運輸量有 18,199 噸、載客人次為 169,884 人，及至昭和 3 年（1928 年）臻至高峰，當年度的年貨物運輸量有 98,417 噸，載客人次則有 673,832 人。

運輸會社

組合類似於協會，為多人組成的團體或組織，在日文以組合表示；株式會社（日語：株式会社，直譯「股份公司」）則是源自日本法律定義下的一種商業公司（会社）型態，韓國法律也採用此名稱。股份公司是由多人共同出資認股組成，所有權不專屬一人，而是屬於所有出資認購公司股份的人。

由於運輸事業日趨繁重，改組中南運輸同業組合為中南運輸會社便成為一項受關注的議題。《臺灣日日新報》於昭和6年（1931年）1月10日便以〈籌改會社〉為題，報導當時臺中青果組合與南投地區的商人計畫將營運中南線運輸的中南運輸同業組合改制為中南運輸會社，資本額為15萬元。

不過，同一時間在中南運輸同業組合內部就出現了反對改組為會社的聲音，參與中南運輸同業組合的43個店家中就有14家持反對意見，此一內部紛爭不僅被媒體詳細報導，又因中南運輸會社的提議者多為在臺日本人，更加提升了媒體的關切度。《臺灣新民報》在該年3月21日便報導了中南運輸同業組合改組為株式會社的問題，又以〈墜入五里霧中的中南運輸的組織　恐被少數獨占利益　臺灣人當然要反對〉為題，講述中南運輸會社在成立過程中的齟齬，並探討會社成立後可能衍生的四點問題，除了多人失業的衝擊，尚有組合與會社統一後中南線的運輸業將有「會社獨大」之虞，使得運輸價格遭到哄抬。

儘管爭議不斷，最終的結果卻仍是中南運輸同業組合於是年4月6日解散，為贊成者籌組的中南運輸會社與反對者組合

【右頁圖】中南運輸會社的建築，目前已改為小吃店，店名麵麵羾道，昔日建築立面也已面目全非。（引自《臺中市古老照片輯》，遠景編輯部／翻攝）

間的抗衡及紛爭畫下不完美的句點。可惜的是，關於中南運輸會社以及反對者籌組組合的下文並無媒體進行報導，而中南運輸會社究竟何時結束也無相關資訊或史料研究，在此僅能大致推測因中南運輸會社內部的主要成員多為日籍，戰後在臺日本人內渡歸國後便無法繼續掌管，因此中南運輸會社也就此消失或改組。

到了 1950 年時，中南線上的運輸業又出現一家名為中南運輸股份有限公司的運輸公司，雖然無法確定是否與中南運輸會社有所關連，該公司卻在戰後初期便經營起中南線上的貨物運輸業務，並在中南線拆除後仍繼續營

業。不過，相關資料顯示，目前中南運輸股份有限公司已無運作，而該公司的登記狀態在2015年7月23日的發文字號：府授經商字第1040733017號標示為「解散」，同時在財政部的營業（稅籍）登記資料狀態為「非營業中」，有興趣深入了解的朋友可以Google關鍵字「公司資料庫」，便能查找到中南運輸股份有限公司的相關資訊。

｜多災多難的中南線鐵路｜

中南線鐵路為五分仔車所行駛的鐵路，行經路線多為河流等地質條件複雜的地區，因此常因天災無法行駛，如大正12年（1923年）9月時便因豪雨重創中南線鐵路，影響臺中、南投兩地交通，此一重大事件也見諸《臺灣日日新報》同年9月6日的〈中南線の全線開通　九月末になる〉報導，當時修復工作日夜不停，一直持續到9月底才恢復全線通車。事隔一年，大正13年（1924年）中南線鐵路又在4月、5月以及6月的豪雨中，因溪水暴漲導致鐵橋受損，使中南線鐵路的運輸處於斷了又修、修了又斷的窘境，長時間都無法全線通車。除了這兩年因豪雨受創外，中南線又分別在昭和 6 年（1931 年）及昭和 14 年（1939 年）等年份遭受豪雨重創。

縱然受限於天候，中南線鐵路的重要性與運輸需求依舊絲毫未減，因此除了鐵路運行外，也開始加入汽車增加中南線的運輸量。由於中南線鐵路為輕便鐵路，五分仔車的運量與行駛速度自然無法和當時的縱貫線鐵路相提並論，況且單軌鐵路能增加的班次相當有限，就在受限經費等因素而無法改善硬體設施時，增加其它類型的運輸工具，例如建設相對於糖鐵建設便宜的公路，專攻汽車行駛運輸便成為一項替代性選擇。

如此一來，除了五分仔車的運輸與載客外，也加入了汽車的運輸載客，《臺灣日日新報》在昭和 3 年（1928 年）2 月 1 日便以〈中南線自動車運轉〉指稱相關的檢查已然完備，自動車已能擔負運輸之責，此自動車即是日文汽車之意，當時在中南線周邊運行的汽車主要也以載客為主。不過遺憾的是，自中南線旁的公路開始通行汽車後，便敲響了中南線鐵路由衰落到拆除的喪鐘。

仔細觀察這張染成彩色的臺中火車站照片，可發現樹木後方有一臺公車。由於公路成本相對低廉，在公車性能與舒適性逐漸超越糖鐵後，以公車運輸取代糖鐵便成了發展趨勢。（國家圖書館／提供）

乘載戰後的凋敝｜戰後的中南線與南北線

戰後中南線依舊持續營運，此時的帝國製糖株式會社已轉為臺灣糖業公司，並承續全臺各大糖廠及周邊糖鐵的運作，而中南線鐵路每日客車約為八班次，仍然相當繁忙。

糖鐵除了運輸旅客的功能外，進行增建與改善後，還能變身具有支援縱貫線鐵路的功能。彼時由大陸撤退來臺的國民政府也意識到，萬一西部縱貫線鐵路系統遭受破壞而無法全線行駛時，若無備用鐵道進行南北運輸，僅僅依靠當時的公路輸運確實是杯水車薪。

基於戰備需要，國民政府遂提出「南北平行預備線」，簡稱南北線的方案，主要是因當時全臺各地的糖廠周邊大都擁有作為運輸甘蔗、旅客等糖鐵，軌距大多統一，以 762mm 窄軌為主，若能將之作為縱貫線鐵路的備用，並承擔部分運輸功能以為預備便再好不過。但由於大多數糖廠間的糖鐵路線尚未互相連接，因此國防部便指示臺糖公司進行延伸或新建路線。

為了增加南北線的實用性與保持國防需求，國民政府於

1952 年 1 月 5 日頒布「臺灣糖業公司鐵路南北平行預備線與省營鐵路營運配合辦法」，規定臺灣糖業公司(33)為因應軍事需要，必須利用原有糖業鐵路線將臺中至屏東之間各糖廠的路線接軌，作為縱貫線鐵路的備用鐵路。此外，辦法中也明訂平時非經省政府交通處特許，南北線不得對外辦理一切貨物運輸業務，因此南北線並未承擔縱貫線鐵路的部分運輸功能。

依據這項辦法遂展開了南北平行預備線的相關工程，而為要接軌臺中至屏東之間各糖廠的路線，中南線鐵路也就被納入南北線鐵路的規劃中。不過囿於經費等因素，部分鐵道採取了與公路並行的設計，於是有不少橋梁上都鋪設了供五分仔車行駛的輕便鐵路，雖然看似兩全其美，但此種鐵道與公路並行的路段交通往往互相牽制與阻礙，因此日後糖鐵停駛時，與公路並行的鐵道便也跟著拆除。

至於南北平行預備線鐵路工程的完工，則要等到西螺大橋的建設完成後，將橋面鋪設上鐵路線後才能算是全線完工。及至 1953 年 4 月 25 日西螺大橋通車，南北線也隨之宣告竣工。

然而如前所述，由於作為國防之需，因此南北線並未承擔縱貫線鐵路的部分運輸功能，新建的鐵路部分路段甚至極少使用，也僅用以運輸製糖原料如甘蔗或產品，臺灣鐵路的南北運輸仍以縱貫線鐵路為主，而南北線主要的載客與運輸依舊停留在日治時代所建造的糖鐵，亦即由中南線鐵路載客、運輸製糖原料及南投、臺中的地方貨物。

其後為增加糖鐵 (34) 的運輸能力，便展開了改善的計畫，《中國日報》於 1957 年 11 月 18 日以〈臺糖鐵道計畫更新三年以後全用內燃機車〉為題報導，當時的臺糖鐵道計畫於 1957 年後的三年之內，將原有的蒸汽機車全數更新為新式內燃機火車，此外也預定 1958 年完成將枕木全面更換為水泥枕塊，增加糖鐵運輸的能力及行車的舒適與安全性。

1958 年是全臺糖鐵載客量達到頂峰的一年，此年度的載客量為 2,300 萬人次，平均每日約有 6 萬人次搭乘。儘管盛景如此，糖鐵的運輸卻也日益受到挑戰，例如日漸發達的公路和自家汽車的普及，以及早在日治時期便不斷稀釋糖鐵運輸及載客功能的公共汽車，此時的中南線雖然也達到了運輸量的巔峰，隔年卻暴跌至谷底。

新式內燃機火車

內燃機是將燃料直接轉化為機械動能，比如一般汽車引擎便是將汽油燃燒後的氣體直接推動活塞作功，因此一般車用汽油機與柴油機便屬於內燃機。由於當時臺糖內燃機車型式與廠牌各異，因此臺鐵機車也分為德馬牌內燃機車、溪州牌內燃機車、金馬牌內燃機車、日立牌內燃機車。蘇昭旭所著《臺灣輕便鐵道小火車：臺灣鐵路火車百科 II》可供參考。

為何短短一年就讓中南線的運輸量產生如此大的巨變？這條即使日治時期飽受天災影響無法全線行駛卻依舊活躍至戰後的中南線鐵路，在與 1959 年 8 月中旬以後的一場天災交鋒後，卻宛如被判死刑，竟自此走入了歷史。

｜欲振乏力｜中南線的衰亡

1959 年 8 月 7 日至 8 月 9 日發生於臺灣中南部的嚴重水災，史稱八七水災 (35)。由於八七水災的強降雨大多集中在苗栗、豐原、烏溪上游等處，而日治時期又曾因烏溪溪水暴漲沖毀跨溪鐵橋，因此中南線鐵路只好改以卡車運輸甘蔗，旅客的正常運輸也受到影響。

彼時經濟部也提出十點因應水災的措施，當中第二點「臺糖鐵路為中南部交通重要工具，應趕緊修復希能在省幹線修復以前分擔運輸重大任務」，便主張盡快修復中南線鐵路恢復運輸功能，但後來卻礙於維修經費等因素，暫緩了中南線鐵路的修復計畫。《聯合報》在同年 9 月 6 日的報導中以〈外銷及民

生品工業　優先獲得貸款〉為題，指出關於交通水利修復的四點方針中，第三點「臺糖鐵路之臺中南投線，暫緩修復，但不拆除，至此次沖毀之臺東線，則可拆除，其器材移作他用」，為暫不修復中南線的決策，從此中南線就一直維持著「待修復」的狀態直到最後拆除。

然而不修復中南線鐵路使運輸停擺進而衍生出諸多問題，其中最大的問題便在於旅客運輸方面。是年10月25日的《臺灣民聲日報》就以〈中南線鐵路未通　通學生無法上課〉為題，報導當時五百名就讀於臺中市的南投縣籍學生因中南線停駛無法往返就學，加上當時公路局車輛無法消化旅客人數，造成許多學生求學的困擾。

儘管已導致諸多不便，中南線的修復卻依然遙遙無期，《臺灣民聲日報》便於該年12月5日以〈中南線鐵路恢復通車無望〉為題報導中南線已無法再運行。不過，當時不少人期盼恢復中南線鐵路的運輸，《臺灣民聲日報》在1962年10月15日的〈中南線臺糖鐵路任其荒廢　草屯鎮代建議政府迅速修復改為官營〉報導中，點出草屯鎮民代表建議政府收購臺糖名下的中南線鐵路，改為官營並迅速修復。

即使訴求連連，卻因修復費用過於龐大，以及公路局的車輛添購與班次增加已足以消化因中南線停駛所增加的旅客，加上臺糖已改用卡車運輸甘蔗等製糖原料與產品，公路運輸就此取代了糖鐵，使中南線鐵路與沿線各車站閒置，隨後全臺各地便展開逐步拆除糖鐵的工程。

關於拆除的時間，部分資料稱 1961 年時中南線鐵路便已遭到拆除，不過透過與在地居民的訪談及相關史料中卻發現到當時中南線鐵路僅僅是不再使用；此外，據《聯合報》1966 年 7 月 18 日〈出售鐵路地　通道被阻塞　霧峰鄉民請求改善〉的報導得知，當時就有臺中縣霧峰鄉民向縣府陳情，言明去年（1965 年）6 月 1 日臺糖公司拆除中南線鐵路並準備出售土地導致他們唯一的通路全被阻塞，由此可知，及至 1966 年中南線於霧峰的路段才被拆除。

因此我們大致了解到當時中南線鐵路的拆除工程其實是斷斷續續的，甚至 1967 年到 1979 年出版的〈臺中市街圖〉都還標有當時的中南線鐵道，一直要到 1982 年出版的〈臺中市街

位於臺中市東區復興路四段 250 巷內的糖鐵遺跡，如今軌道已埋在柏油路與砂土下，僅露出頂部。

圖〉及後續出版的地圖才未見中南線鐵路的標示，由此我們可以推斷中南線鐵路約在 1981 年前後才大致拆除完畢。

不過市區巷弄仍留存些許鐵道遺跡，如臺中市東區復興路四段 250 巷內便留有中南線鐵路的部分鐵道；太平也保留有中南線的車站，即位於長億六街與中南路的交叉口，且一旁原先糖鐵行駛交會的道路也被命名為中南路，但因年久失修，太平站部分站體已於2015年拆除，目前尚無相關修復的消息；另外，東區也有以糖鐵鐵路命名的街道，名為鐵路街。

2016 年 11 月 6 日所攝的臺中後火車站。2004 年 2 月 20 日臺中後火車站已被指定為歷史建築。

輕簡出發

臺中火車站旁的手押臺車線

會車禮儀，因應不同的車種而有所差異。位處支線汽車禮讓主幹道汽車先通行，而臺中火車站旁的手押臺車，則是輕車禮讓重車先行——只是，在人力車、三輪車、汽車等等的交通工具漸多的情況下，臺車被迫退離運輸的舞臺，即使因應活動，曾有短暫的高峰，也無法避免地受時代洪流的影響。車伕辛勤的汗水滴落，乾涸成土地上的一滴淚……

台中車站 Taichung-Station

大正15年（1926年）10月15日，林獻堂經歷了一趟頭汴坑的手押臺車之旅……

今天我們參加吳子瑜舉辦的詩人聚會，吃完飯後，吳子瑜雇了八輛臺車與車伕，送我們到位於頭汴坑（今太平）荔枝園內的東山別墅。我們所搭乘的臺車算是等級極好的，除了加裝遮陽的棚子外，座椅也是有椅背的。車體重量增加，因此這種臺車需要兩位車伕推車與控制。

另外，多數臺車共用同一條鐵道，臺車進行會車時，較輕的臺車須禮讓較重的臺車。我們的臺車重量自然較重，因此沿途的臺車都禮讓我們。

我們搭乘的這條臺車線是由臺中輕鐵株式會社經營，據說路線總長七哩，此外該會社也經營了往葫蘆墩（今豐原）的手押臺車線。然而近年來聽聞人力車與三輪車的營運量增加，在路上行駛的汽車也越來越多，更有專門跑長途路線的汽車，不免擔憂手押臺車這類交通工具是否已經漸漸式微了？

或許是因為通往頭汴坑的公路交通不發達，使得頭汴坑的臺車線運輸狀況還算穩定，然而其它地區若發展起公路，臺車的經營狀況便相對慘澹許多，唯有今年盛大舉辦了中部臺灣共進會，吸引外地人潮，改善了其它臺車線的經營狀況。但我不禁會想，活動結束後，載客量還會如此豐沛嗎？恐怕不會。

總之，幸虧這條頭汴坑的臺車線，讓我們順利地來到吳子瑜位於頭汴坑的東山別墅。度過了吊橋之後，我們便下車，繼續之後的活動……

林獻堂在當天的日記上做了簡易的敘述。不過，筆者相信依林獻堂的觀察力，必定會發現手押臺車在日新月異的交通技術下將會漸趨弱勢。當他舒適地坐在有椅背的靠椅上，隔著棚子看著臺車沿路的景色時，他或許不免為這些辛勤地為他們推車的車伕感到不捨……

｜鑽入城市的輕便車｜

臺中火車站周邊的手押臺車軌道

除了前面提及以糖鐵鐵路及縱貫線鐵路作為旅客及貨物運輸外，彼時部分的臺中市街道也建有手押臺車軌道。關於手押

VIEW OF PICTURESQUE SPOT TAIWAN.
臺車
圖に示す如く軌道車にして、物資の集散、旅客の運搬に最も輕便にして全島を通じ軌道の延長五百八十六哩臺車數約五千台に上り實に本島特有のものなり。

臺車線，我們同樣能在中央研究院人社中心地理資訊科學研究專題中心所提供的「臺灣百年歷史地圖資訊系統」中，點選臺中市百年歷史地圖，其中分別在昭和 10 年（1935 年）的〈臺中市街圖〉，與昭和 12 年（1937 年）的〈臺中市地圖〉，兩條目之下的圖片都清楚標示出當時臺中市區手押臺車軌道的分布狀況，有興趣的朋友也可以搜尋「臺灣百年歷史地圖資訊系統」裡的臺中地圖，觀察手押臺車軌道的前後轉變。

顧名思義，手押臺車 (37) 就是以人力推動的軌道臺車，也有少數透過獸力如牛來拉車，而據明治 45 年（1912 年）公布的《臺灣私設軌道規則》之定義為：「鋪設軌條以供一般交通運輸之用的設備」。

就整體構造而言，臺車相較於火車簡單，通常為帶有四個鋼輪的木質平臺，而且

【左頁圖】車夫推動臺車的場景。圖片上顯示，臺車上不僅設有椅子供旅客乘坐，也有置物空間，兩根竹竿則用以施力推車。由臺車的行進方向，可觀察到遠處有一「湧泉閣」，湧泉閣本為清廷治臺時期位於今臺中州廳作為科舉考試的考場，日治後因臺中州廳的擴建需求，遂將湧泉閣移往臺中水源地（今臺中水源地公園內）保存與供民眾休憩，戰後遭到拆除。而此一手押臺車與軌道乃是由臺中輕鐵株式會社所營運，沿今雙十路通往北屯與豐原的路線。至於圖片上的說明則是：「如圖所示的軌道上，不論是物資的集散、旅客的載運，都是最為輕便的交通工具。通行全島的軌道共有 586 哩長，臺車數量約在五千輛以上，是本島特有的交通工具。」（國家圖書館／提供）

大多數臺車會在平臺四角插上竹竿，前面兩根竹竿作為乘客手扶，後兩根則用以推車施力，設備較高級的則會在平臺上裝設棚子遮陽等等用途。此外，手押臺車必須行駛於專屬的軌道，利用鐵軌摩擦力小的原理，使臺車得以較人力車載貨更多，速度也更快，遇下坡路段時車夫甚至無須使力，往往只需站立於臺車上，藉由重力加速使臺車快速通行。

由於手押臺車這種比糖鐵輕便的特性，因此更適於城市裡的運輸，行駛的速度與平穩度也勝過普遍流行的人力車，不僅能載運更多旅客，就連搭載貨物也不成問題，唯一的缺點是只能在既定的鐵道上行駛，缺乏人力車的機動性。雖然日治時期手押臺車經行的大多數路段僅有一條軌道，因此每當兩臺列車交會時，一般都是由載貨客較少的「輕車」禮讓載貨客較多的「重車」，但也因為臺車重量較輕的特點，因而通常僅需把臺車上的旅客與貨物移至一旁便可順利通行。

至於臺中市大量建設手押臺車軌道的時間，除了氏平要、原田芳之合著《臺中市史》所載的自明治 38 年（1905 年）至明治 41 年（1908 年）間，《臺灣日日新報》在明治 38 年（1905

年）7 月 12 日也有〈中部の輕軌問題〉，報導臺中到南投輕便鐵道的建築計畫，以為改善臺中、南投間的運輸。

當時這些手押臺車軌道都是互相連結的，日治初期甚至還可以從基隆連接至高雄，不但因此促進了城市交通的便利性，同時也帶動如臺中城市的發展。彼時臺中市主要有三家營運手押臺車的會社，在臺中火車站的周圍就有二家，分別是臺中輕鐵株式會社及帝國糖廠株式會社。

其中，臺中輕鐵株式會社營運的手押臺車鐵道路線主要有二，一自臺中火車站出發，沿今雙十路通往北屯與豐原，路線總長 11.7 哩，共 160 臺營運的臺車；另一則為沿今新民街、南京路後轉旱溪街，再往頭汴坑（今太平）的路線，總長 7.1 哩，營運臺車共 130 臺。

而由帝國糖廠株式會社營運的手押臺車鐵路主路線也有兩條，一條是從中南火車站出發，沿今大公街轉忠孝路再轉向臺中路，通往大里的手押臺車軌道線，總長 3.5 哩，營運臺車共有 18 臺；另一條在昭和 10 年（1935 年）前後仍繼續營運的路線，乃是沿著今復興路達臺中專賣支局（今臺中文化創意園區）

後轉民生路再接建國路，通往南屯的手押臺車軌道線，總長 2.7 哩，營運臺車共有 13 臺。

然而，帝國糖廠株式會社營運從中南火車站通往南屯的手押臺車軌道因與當時的縱貫線鐵路平行，加上公路早有建設，因此可取代性極高，即使昭和 10 年（1935 年）出版的〈臺中市街圖〉仍標有這條鐵路，但到了昭和 12 年（1937 年）出版的〈臺中市地圖〉已不見標示，由此我們可以推斷此路線在昭和 12 年（1937 年）以前便不再使用，甚至已被拆除。

｜普及市井｜手押臺車的營運狀況

臺灣手押臺車的鼎盛時期大致是在大正 14 年（1925 年）到昭和 10 年（1935 年）的十年間，此時全臺手押臺車線約有 1,300 公里，數量有 5,000 臺之多。不過，由於當時手押臺車鐵道建設相對簡陋，而且使用頻率極高，因此事故頻繁，檢討聲浪不斷，例如《臺灣日日新報》在昭和 4 年（1929 年）4 月 21 日便以〈臺中州保安課檢查輕鐵事故增約四倍　後當積極取締〉為題報導臺車事故增加，指出臺中州於昭和 2 年（1927 年）

的手押臺車事故中，共計有死亡人數 1 名，負傷 9 名，隔年昭和 3 年（1928 年）的手押臺車事故統計則為死亡人數 2 名，負傷 41 名。報導中也探討了事故增加乃是「因自動車的增加，乘臺車者激減，因而有怠於保線工事」，文中的自動車所指應為汽車，至於「怠於保線工事」應是說明當時手押臺車軌道的維護不確實、臺車保養不到位。

此外，報導亦顯示出當時臺中汽車的運輸量與功能已逐漸超越並取代了臺車，就連以臺中火車站附近作為運輸據點的汽車會社也有將近 10 家，例如經營豐原、臺中兩地的平和自動車會社，臺中、彰化兩地的朝日自動車會社等。雖然在昭和 9 年（1934 年）時，凡與鐵道路線重疊的自動車會社皆被「鐵路部」與「臺灣交通」強制收購，但卻未因此減少汽車數與運輸量，反而有逐漸增長的傾向。

從中還可發現，手押臺車的運輸量早在日治中期便已開始走下坡。據氏平要、原田芳之合著的《臺中市史》統計，以臺中輕鐵株式會社所營運的豐原線手押臺車軌道為例，大正 13 年（1924 年）首次統計時，年搭乘人次有 211,565 人，平均每日載客數為 579 或 580 人，若以 160 臺臺車來平均分擔，則一臺車必須乘載 4 人，使用頻率極高；然而到了隔年大正 14 年（1925 年），年搭乘人次卻僅僅剩下 137,542 人次，比起去年大幅減少了 74,023 人次。

不過豐原線臺車的搭乘人次並非逐年下降，例如昭和元年（1926 年）手押臺車的年搭乘人次便達到了 181,970 人，相較於去年大正 14 年（1925 年）增加了 44,428 人。這不禁令人感到疑惑，何以明明將被取代的手押臺車軌道搭乘人次竟會上漲，而且上漲的幅度還相當龐大？

原來此種變化與當時所舉辦的「中部臺灣共進會」活動有關。如前所述，為了慶祝臺中行啟紀念館的落成以及宣傳臺中市各項產業、建設、教育、衛生等相關發展與建設成果，起自大正 15 年（1926 年）3 月 28 日至同年 4 月 6 日的活動，每日入場參觀者逾 5 萬人，十日內總入場人數更超過 57 萬人，活動所帶來的人潮正是臺車搭乘人次上漲之因。

也因此，在中部臺灣共進會活動結束後的隔年，亦即昭和 2 年（1927 年），豐原線手押臺車的搭乘人次便降至 143,964

人，較去年減少了 38,006 人，甚至到了昭和 5 年（1930 年），豐原線臺車的搭乘人數已跌破 10 萬人，僅餘 90,381 人次搭乘。

然而並非臺中市的每條手押鐵道載客量皆為逐年遞減，同樣出自於《臺中市史》的統計，由臺中輕鐵株式會社所營運的往頭汴坑（今太平）的搭乘人數便呈現增長趨勢。頭汴坑線手押臺車軌道自統計起始的大正 13 年（1924 年）搭乘人次便有 68,987 人，隔年大正 14 年（1925 年）已達 76,517 人搭乘，增加了 7,530 人，雖然昭和元年（1926 年）的搭乘人數減少至 68,421 人，但昭和 2 年（1927 年）又達到了 78,102 人，將近增加了一萬人。

儘管在《臺中市史》後續的統計中，頭汴坑線手押臺車軌道的搭乘人次在昭和 2 年（1927 年）之後還是呈現下降之勢，但在最後一年的統計中，搭乘人次尚有 75,226 人，仍高於大正 13 年（1924 年）的 68,987 人，由此顯示出頭汴坑線手押臺車的搭乘人數依舊相當的多。

若探究起頭汴坑線手押臺車軌道搭乘人次增長的原因，當與彼時太平地區的發展相關。雖然手押鐵路更為輕便，但安全性相對較低，不僅增加了乘客的危險性，行駛的速度亦較為緩慢，然而太平處於發展階段，公、鐵路交通不發達，手押鐵路於是成為了一項最便捷的選擇。

當時除了一般民眾會搭乘頭汴坑線等手押臺車之外，中部部分仕紳也有過乘車經驗，例如林獻堂就在《灌園先生日記》中提及大正 15 年（1926 年）10 月 15 日搭乘頭汴坑線手押臺車的經過：

諸吟友往吳子瑜家享午，因他今日邀集中、南、北三部騷人墨客到他東山作登高會也。飯畢，雇臺車八輛駛至頭汴坑口，過鉛線吊橋方下車，接踵上東山別墅，即前所謂冬瓜山營其先父吳鸞旗〔旂〕之墓地也。

讀到這裡，大家的內心一定存有疑惑，這些中部仕紳個個家財萬貫，無論是要雇請司機或購車皆非難事，或是前往當時即已營運的臺中自動車會社，搭乘現在所謂的計程車，也都比臺車來得舒適便捷，他們究竟為何選擇臺車作為交通工具？

吳鸞旂

1862 年～ 1922 年，光緒元年（1875 年）至明治 41 年（1908 年）為監生，字洋水，號魯齋，臺灣彰化縣藍興堡（今中區、東區、南區、太平區、大里區等處）人。吳鸞旂是臺灣中部的著名仕紳，與林獻堂之父林文欽為表兄弟，臺灣建省後，臺灣巡撫劉銘傳於今臺中興建臺灣省城，吳鸞旂參與興築臺灣建府工作，為當時省城督造。

吳子瑜

1885 年～ 1951 年，吳鸞旂之子，字少侯，號小魯，臺中東勢人。為日治時期中部仕紳，更為臺灣漢詩壇的重要人物，活躍於臺中地區。明治 44 年（1911 年）吳子瑜 26 歲時開始赴北平、上海經商，也遊歷到韓國、日本。返臺後於昭和元年（1926 年）加入「櫟社」，並創立「怡社」，也曾籌設臺中孤兒院，以及參與創設日治時期首家由臺灣人所經營的金融機構大東信託株式會社。此外，吳子瑜也出資 15 萬餘元，於昭和 11 年（1936 年）建成天外天劇場，足見其財力之雄厚。

或許有人會認為這與當時臺中尚無行駛車輛有關，然而事實是臺中不但早有汽車行駛，且還為此做了許多公路建設與現有道路的改善。根據《臺灣日日新報》於大正 14 年（1925 年）8 月 13 日以〈臺中州下の自動車〉為題報導了臺中州營運的自動車數共有 40 臺，其中豐原至臺中的路線營運 12 臺，臺中至

2017 年 4 月 21 日所攝的吳家古墓。大正 11 年（1922 年）吳子瑜父親吳鸞旂逝世，吳子瑜返臺，後於臺中太平冬瓜山下建造祖墳、別墅花園，稱吳鸞旂墓園，又稱吳家花園，應也可稱「太平冬瓜山荔枝園」，位在太平車籠埔冬瓜山，如今墓園周圍已蓋起名為東方大鎮社區。吳家各代先祖及元配，如吳子瑜的祖父吳景春、父親吳鸞旂、吳子瑜本人與其女吳燕生等均葬於此。

彰化的路線也為12臺車，單是這一帶的營運數量即占據臺中州營運的自動車總數一半以上。甚至更早在大正8年（1919年）時，臺中到豐原之間已有設立臺中自動車會社的計畫，可證諸於《臺灣日日新報》同年7月27日的報導，後來也在隔年（1920年）開始營運。

因此，我們大概可以推測出頭汴坑線手押臺車之所以未被取代的原因，正是當時通往太平的公路條件相較於臺中市區稍差，也非一般汽車營運的主要路線，因此林獻堂與吳子瑜一行人也才會選擇乘坐手押臺車前往位於太平的冬山別墅了。

｜已成追憶｜手押臺車的衰落與其鐵道拆除

事實上臺中市手押臺車的營運到了日治中後期已轉趨艱困，如前文所述，由帝國糖廠株式會社營運的從中南火車站通往南屯的手押臺車軌道，因受自動車與腳踏車的興起而停止營運，僅剩臺中輕鐵株式會社營運的往頭汴坑（今太平）的路線獨撐大局。

當時不只臺車受此衝擊，舉凡以人力作為動力來源的交通

吳鸞旂墓園中的花園與橋梁，位於東方大鎮社區的出入口處。目前太平冬瓜山荔枝園裡的設施僅剩下古墓與門口處的洗石子拱橋及庭園。

工具如相對於臺車來說更具機動性的人力車皆未能免除被取代的命運。《臺灣新民報》在昭和5年（1930年）3月29日的〈受自動車壓迫的人力車夫日入苦境〉報導中敘有人力車車夫的收入，報載大正7、8年（1918、1919年）正是人力車產業的高峰期，彼時人力車夫收入最高的地點就是在臺中，不過大正 8 年（1919 年）之後便逐漸走向下坡，等到了報導時的昭和 5 年（1930 年）時，人力車夫便已入不敷出。

其實不只汽車的發達導致此般沒落，汽車搭乘費用的降低以及腳踏車的漸次興起都讓臺車更難以繼續生存。以臺中為例，明治 36 年（1903 年）時，私有腳踏車尚未超過 15 輛，及至昭和 5 年（1930 年）時，數量已累增為 3,311 輛，探究數字增長之因，除了腳踏車相較於臺車擁有更佳的機動性與速度外，由此延伸而來的三輪車也較臺車裝載更多的貨物，且在城市交通中又相對於臺車、人力車具備更高便利性，加上價格比汽車便宜，也因此成為壓倒臺車產業的最後一根稻草。

於是，臺車鐵道就和八七水災後的糖鐵鐵路一樣，在閒置後成為阻礙了公路交通的元凶，手押臺車便在日治後期逐漸蕭條，戰後甚至只能在偏僻的山區與鄉村見其蹤影。雖然缺乏相關報導及史料，使我們難以清楚獲知日治時期的臺中市臺車與軌道究竟何時遭到拆除，不過在昭和 18 年（1943 年）的〈臺中都市計畫圖〉圖資標示中便無手押臺車鐵道線；此外，根據當時臺中市役所於昭和13年（1938年）2月28日所出版的《臺中市管內概況》，可以發現那時臺中市仍繼續經營手押臺車軌道的會社及鐵道僅餘臺中輕鐵株式會社所營的往頭汴坑（今太平）的路線。

由此大致可知，除了臺中輕鐵株式會社經營的往頭汴坑（今太平）的手押臺車軌道外，其餘臺中市內的手押臺車已無營運，甚至可能早在昭和12年（1937年）中日戰爭全面爆發直至二次大戰結束前便已遭到拆除。由於戰時亟需大量的金屬原料，那些大而無用又占據空間的手押鐵道似乎理所當然成為拆除的首要目標，甚至到了第二次世界大戰後期還必須向民間募集鐵器，就連許多鐵製欄杆也都因此更換為木製。

再從1945年以後出版的地圖不再標示出臺中市手押臺車軌道的行駛路線，可見臺中市區內的手押鐵路在國民政府來臺前應皆已消失，甚至也很難再看到臺車軌道的相關遺跡。現今臺中市的中興路便是日治時期手押鐵路行經的路線，若這些手押臺車鐵道得以保留至今，相信絕對會是一個極佳的觀光景點，但如今這條路上已無法再見當年手押臺車軌道線的蹤影，

2017 年 7 月 21 日所攝的臺中市東區大公街的其中一段，大公街在日治時期曾有一條由帝國糖廠株式會社營運通往大里的手押臺車軌道，然而今日已不見任何手押臺車軌道的遺跡。

許多人也就無從知曉這段臺中市的手押臺車歷史了。不過話說回來，現在臺灣保留下來的臺車軌道，除了觀光用途外，已無其它運輸功用，若是這些手押臺車軌道未在日治時期拆除而保留到現在，說不定將會造成交通更加阻塞呢！

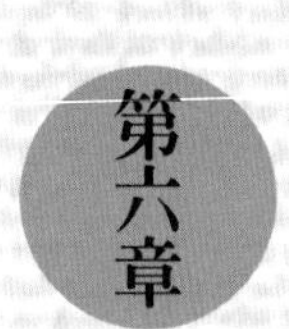
第六章

行旅踏查

臺中火車站與鐵道軸線的周圍建築

臺中火車站的興起，就是因為人們對於便利的追求，而當火車站受影響而沒落，則可以從附近的建築生態，見著曾經的盛衰氣象。臺灣鐵路舊宿舍，被閒置的空屋，只有老去的氣息尚存；周邊倉儲的轉型，醞釀嶄新的文化園區，將創意融入文創小物；過去臺中火車站的運輸物流盛況已不再，防空壕與碉堡群在無戰事的時代，變成供人拍照打卡的景點……

台中車站 Taichung-Station

曾經的桂花香｜臺鐵舊宿舍群的時光斷片

步出 20 號倉庫，往復興路的方向走去，一旁的小巷道映入眼簾。這條不到 2 公尺寬的小巷道，連要通行兩臺機車都有困難，它就是地圖上所標示的復興路四段 37 巷 2 弄，因巷道旁有戶人家種植了桂花樹，因此又名臺中桂花巷 (40)。履至桂花巷的盡頭，承接而來的是復興路四段 11 巷，而令人驚訝的是，臺中後火車站竟然就這樣出現在眼前。桂花巷的盡處尚有一條

通道，2016 年行經那處時，牆上些許塗鴉裝飾一路隨行，這亦是通往 20 號倉庫的另一蹊徑。

視線再移往路口盡頭的臺中家商，不自覺地往左望去，只見臺中桂花巷的巷道內，一旁為民宅屋後，另一旁則為閒置的空屋，這些空屋隸屬於臺鐵，早期是臺鐵的員工宿舍。

昔時臺鐵舊宿舍分布極廣，大致可分為三個區域：一是復興路四段 37 巷 2 弄；二是今復興路四段靠鐵道一側，從大智

2015 年 6 月 21 日所攝，原為從今大智路到振興路的宿舍群與今建國路、新民街、八德街、武德街的宿舍群所在，2014 年 7 月拆除後，今已改建為轉運站。

路到振興路，目前部分房舍已被拆除並閒置；三是由今建國路、新民街、八德街、武德街環繞的區域，是臺中市最大也最早規劃的鐵道宿舍群，昭和12年（1937年）3月23日發行的〈臺中市地圖〉甚至還以「鐵道官舍」來標示。

不過日治時期的臺中火車站周圍鐵道宿舍一開始並非如此分布，前後經歷過多次的改建與遷移，例如大正6年（1917年）的鐵道宿舍改建。大正6年（1917年）11月7日《臺灣日日新報》便以〈臺中驛官舍改築〉為題，報導臺中火車站周圍部分的宿舍已原址改建為臺中火車站的廁所。其中，今復興路四段靠鐵道一側，從大智路到振興路的宿舍群與今建國路、新民街、八德街、武德街的宿舍群，在日治時期便已大致竣工。

當中比較特別的是復興路四段37巷2弄的臺鐵宿舍群，由於是戰後才興建，因此最早也要到1970年的〈臺中市地形圖〉中才能看到這排宿舍的圖資標示。與其它日治時期以木造為主的鐵道宿舍群不同的是，其建築型式為當時所流行的「販厝」，目的在於藉此降低建造成本，且樓高多為二層樓，但為了因應事後屋主的需求，通常會往上再搭建一層樓。

販厝

字面意思為：成屋，蓋好準備出售的房屋。不過也可作為連棟式樓房的稱呼，即兩間房舍共用一個牆面，藉此節省建材與施工成本。販厝的房屋外觀大多一致，這是為了建設時可統一模板，有助於加快建造的速度及降低施工成本。

至於日治時期的臺中火車站宿舍，又區分為今建國路、新民街、八德街、武德街所環繞的鐵道宿舍，以及今復興路四段靠鐵道一側，從大智路到振興路的宿舍群。戰後大批日本職員內渡回日本後，臺鐵的外省籍及臺灣籍員工便接著入住，其中1966年鐵路電氣化計畫的工程負責人，「臺灣鐵路電氣化之父」羅裕昌先生(41)（1920年2月19日～2012年9月20日），與齊邦媛（1924年2月19日～）也同住在臺中復興路上的鐵道宿舍中。

羅裕昌，大正9年（1920年）2月19日生於四川省資中縣甘露鎮，1945年武漢大學電機工程系畢業，1946年來到臺灣，1948年時與作家齊邦媛於武大校友會相遇相戀，婚後的羅裕昌在臺北擔任首席段長，齊邦媛則在臺大擔任助教，1950年時臺中電務段長出缺後，羅裕昌申請至臺中赴任，齊邦媛則辭去臺大助教一職。

其後，羅裕昌與齊邦媛夫婦二人便搬遷至復興路四段靠鐵道一側的臺鐵舊宿舍。齊邦媛在《巨流河》(42)一書中的第六章〈風雨臺灣〉，便寫有臺鐵宿舍的生活經歷：

攝於復興路四段37巷2弄的臺鐵宿舍群出入口，由於巷道中有戶人家種植桂花，因此也有人雅稱此處為臺中桂花巷，巷道中另植有枇杷、桑葚等樹。

一九五〇年六月五日，我第一次走進臺中市復興路二十五號的前院，玄關門外的那棵樹開滿了燈籠花，好似懸燈結綵歡迎我們。

大約二十坪的榻榻米房子，分成兩大一小間，走廊落地窗外是個寬敞的院子，一端是一棵大榕樹，樹鬚已垂近地面。我立刻愛上了這個新家。

羅裕昌與齊邦媛在此度過了約 17 年歲月，在擔任臺中段長期間，羅裕昌親自統籌建立臺鐵的「中央行車控制系統」，這是一項自動化號誌工程，目的在取代當時依靠人工揮動紅綠旗來控制火車的進出，此一系統裝設後將有助於減少臺鐵的人力、增加行車的安全性。透過《巨流河》一書，我們更能了解羅裕昌在臺中臺鐵宿舍的居住期間工作之艱辛，尤其第六章〈風雨臺灣〉中，更有齊邦媛為丈夫工作的危險性擔憂的心境描述：

裕昌下班時間仍未回家，屋內黑暗陰冷……房子臨街，復興路是條大路，有許多腳踏車和行人過往。

靠鐵路調車場，一直到臺中糖廠，有大約三十戶鐵路宿舍，我坐在門口，將近九點鐘，電務段的同事廖春欽先生……告訴我，「段長今天下午帶我們去漲水的筏子溪搶修電路，橋基沖走了一半，段長腰上綁著電線帶我們幾個人在懸空的枕木上爬過去架線，一個一個、一寸一寸地爬，這些命是揀回來的！」

不久，遠遠看到他高瘦的身影從黑暗中走到第一盞路燈下，我就喜極而泣，孩子餓了也在哭。他半跑過街，將我們擁至屋內時，他也流淚地說，「我回來就好了，趕快沖奶粉餵孩子吧。」

齊邦媛後來任教於中興大學外文系，1953 年時轉赴臺中一中教授英文，1958 年又至中興大學擔任講師，1961 年至靜宜大學任教，1967 年羅裕昌調任臺北後兩人便遷居臺北，在臺鐵任職到 1985 年退休的羅裕昌，2012 年 9 月 20 日逝世臺北，享壽 93 歲。

手繪 2015 年 4 月 4 日所攝復興路四段旁拆除後的臺鐵宿舍，目前該區已封閉。（朱書漢／繪）

這三個區域的鐵道宿舍群，除了提供臺鐵員工住宿外，周圍也供給一般小販使用，例如建國路、新民街、八德街、武德街所環繞的鐵道宿舍，因一旁即為建國市場，自然吸引不少人潮，因此小販也紛紛至鐵道宿舍周圍的八德街、武德街擺攤，但有多處因為販賣的空間或防水需求加蓋起鐵皮，使得鐵道宿舍顯得凌亂不堪。

1992 年 6 月 22 日時，臺灣省政府委員會議通過了臺中火車站聯合開發第一期工程財務計畫案，重新規劃臺中市建國路、南京路、八德街與武德街的宿舍群，拆除占地有一萬二千餘平方公尺的臺鐵宿舍群改建為多棟商業辦公大樓。2002 年時，臺中市政府推動「火車站附近地區辦理都市更新示範計畫」備受媒體關注，例如《民生報》於是年 10 月 10 日便以〈火車站周邊更新　明年展開〉為題，報導該計畫將以臺中火車站前的臺鐵宿舍群為優先進行相關整建工作。

雖然該計畫與相關子計畫仍處於規劃階段，不過從 2005 年開始，臺中市政府便計畫將 50 處公有地進行都市更新，其中包括臺鐵宿舍。當時的臺鐵宿舍管理者鄒先生回憶道，那時的搬遷費，一戶補助金為每坪 10,000 元，最高可至 22,000 元，儘管如此，當時仍有許多住戶不願搬離。經過後續一番協調，臺中火車站周圍三座臺鐵宿舍群的住戶才盡數搬離。

此後，封閉的臺鐵宿舍因長期閒置與受損，造成環境髒亂也成為治安死角，附近居民頻頻抗議，因而自 2014 年開始，建國路、新民街、八德街、武德街所環繞的臺鐵宿舍群首波被拆除，拆除時間為 7 月，該地後來曾短暫作為停車場，後又規劃興建為客運轉運站，2016 年 8 月開始興建，同年 11 月 29 日完工啟用，目前為國光客運轉運站，至於原國光客運轉運站也已拆除，該地目前為站前廣場的一部分。

臺中火車站周圍的臺鐵宿舍群則仍在規劃階段中，2014 年 7 月便有文資團體在臺鐵宿舍群前訴求保留臺中火車站周圍的臺鐵宿舍群，同時也提報文資審議，然而就在委員於該年 8 月 21 日進行文資場勘前，不知是何因素，臺鐵就先於 20 日拆除復興路四段靠鐵道一側，從大智路到振興路的鐵道宿舍。《自由時報》於該年 8 月 22 日的〈提報保留鐵路宿舍群　臺鐵動手拆〉，報導當時地方文史團體展開搶救活動，並已於 7 月底

位於復興路四段 37 巷 2 弄的一塊空地，兩旁為該區的鐵道宿舍群，前方榕樹下的倉庫即 20 號倉庫群。

提報文化局，同時還聘請兩位文化資產審議委員於 21 日到現場勘查，但臺鐵卻早已辦理拆除招標，7 月初決標，7 月底取得拆除執照後，到後來的勘查時已經拆除了一戶。

彼時拆除從大智路到振興路的鐵道宿舍時，陣陣檜木香沁入鼻息，然而這卻是舊宿舍區即將消失的徵兆，此後每當行經此區，看著破瓦頹垣，都令人感慨萬千。

該區的鐵道宿舍被列為暫定古蹟因而停止拆除，目前也處於封閉狀態。不過一波未平一波又起，2016 年 11 月底復興路四段 37 巷 2 弄的宿舍群發生了一場火災，《蘋果日報》於該年 11 月 30 日以〈臺中臺鐵舊宿舍惡火　20 號倉庫險遭波及〉為題，報導了當天傍晚五點多，臺鐵宿舍起火燃燒，火勢延燒了三戶，其中起火的三戶中，兩戶是磚造建築，一戶是石棉瓦搭造，所幸火勢順利撲滅，無人傷亡。

其實該區的鐵道宿舍目前仍有幾位低收入戶居住。從與居民的訪談中得知失火的房舍曾有人居，該名住戶經常前往臺中火車站地下道進行「都市採集」，向來往旅客行乞，不過失火加上封閉拆除了從臺中火車站通往後站的地下道後，人也就不知去向。

目前臺中火車站周圍的鐵路宿舍群仍被保存中，但因久無人居，損壞加劇。關於這點，或許藉由臺中市政府所推行的「綠空鐵道軸線計畫」來對該區進行活化不失為一好方法。

除了「綠空鐵道軸線計畫」硬體上的規劃，經由擴大現有藝文空間如 20 號倉庫的規模，例如在 20 號倉庫從 20 號到 26D 號，共八個駐村藝術空間以外，也能將位於 20 號倉庫後方的臺鐵舊宿舍一同納入改造，在現有的經營模式下擴張其它類型的營運，並藉著臺鐵舊宿舍空間吸引更多藝術工作者進駐，提供辦公空間，或引入文創、手作類型的小商店，如此一來應可增加 20 號倉庫甚至是周圍區域的觀光人潮，提升 20 號倉庫的質與量，使其躍身為臺中後火車站的新亮點。

此一規劃若可行，又能結合 20 號倉庫與後方的臺鐵舊宿舍區，成為一座環狀區域，正如展場一般，再藉由路線的變化豐富人潮的流動。此外，也能將該區與臺中火車站後站周圍具歷史性的建築做景點搭配與導覽，例如復興路上，臺中火車站後站附近便有兩棟日治時期興建、仿巴洛克式風格的街屋，其一開設為燒臘店鋪，屋況算是良好，另一棟則位於復興路四段73巷與復興路交叉口，屋況也保存得不錯，而且該街屋又與地方人文歷史及產業脈絡息息相關，透過定期導覽連結二者，相信有助於創造人潮。

不過，目前臺中火車站周圍的臺鐵舊宿舍屋況仍有改善空間，通道尚須拓寬，例如復興路四段37巷2弄的巷內空間便過於狹小。儘管仍有諸多不足，一旦經過改造，這些空間或許也能成為臺中市政府推出「摘星青年、築夢臺中」的計畫點，招租給青創、文創產業，再以鄰近臺中火車站的交通優勢吸引外縣市遊客，如此非但能改善臺鐵舊宿舍群的周圍環境，也得以賦予老屋新生命。

｜豐收的儲存地｜臺中火車站周邊倉庫群

除了用以旅客運輸外，臺中火車站也有貨運的功能。據《臺中市史》的記載，明治39年（1906年）臺中火車站運出的貨物量有9,947噸，運至臺中火車站的貨物量則達12,034

【上圖】2017 年 7 月 20 日所攝臺中鋼梁場區內的一棟建物，位於臺中市東區南京路與進德路交叉口，目前為交通部鐵路改建工程局中部工程處使用。

【下圖】2017 年 7 月 20 日所攝臺中鋼梁場區內的一棟建物，位於臺中市東區南京路上，建築格局與許多同時期的政府宿舍類似，屬於典型「販厝」建築型式。雖然目前封閉閒置，但每日早晨都會有攤商至一樓門口處擺攤。

噸；及至昭和 4 年（1929 年），臺中火車站運出的貨物量有 134,394 噸，而運抵的貨物量也有 130,250 噸，數據顯示出臺中火車站的貨運量在 20 年間增長幅度超過了 10 倍。

令人好奇的是，當時從臺中火車站發送出去的貨物大致上有哪些？原來主要是以農產品如香蕉、米糧為大宗，其它則有酒、砂糖等。從這些貨品中，我們也可以看出當時臺中的產業結構主要為農業產品，例如那時就有臺中火車站附近的臺灣總督府專賣局臺中酒工場（今臺中文化創意園區 (38)）以及臺中製糖所第一工場（今臺糖生態園區）。

明治 39 年（1906）時，臺中火車站每日必須處理的貨物便逾 60 噸多，直到昭和 4 年（1929 年）已大幅提高至 725 噸，數量相當可觀。為了應付多如潮水般的貨物進出，臺中火車站便有了興建倉庫以暫存尚未運輸的貨物的需求。

據《臺中市史》統計，明治 42 年（1909 年）時，臺中火車站周圍便已建設第一貨物倉庫，這座建築體為木造的倉庫，大小有75坪；臺中火車站改建之後，為了不斷增加的貨運需求，大正 8 年（1919 年）設立了同為木造的第二貨物倉庫，大小則為 47.5 坪。

除了官方倉庫，民間組織也在火車站附近設有倉庫以因應運輸需求，如《漢文臺灣日日新報》於明治 44 年（1911 年）4 月 21 日的〈臺中米糧糖市情〉便報導當時的臺中米糧商組合在臺中、大肚、烏日的火車站周圍分別擁有一座倉庫，該組合解散後，成員欲藉由這些倉庫成立「倉庫會社」，構想獲多人支持。

不過早在臺中米糧商組合與改組為「倉庫會社」以進行物流業務前，已有其它運輸物流業存在，如臺灣運輸倉庫株式會社，其業務遍及全臺各大火車站，在臺中也設有據點。明治 43 年（1910 年）2 月 23 日《臺灣日日新報》便以〈運社彙報〉為題報導臺灣運輸倉庫株式會社的設立情況，據報其總資本金 2 萬元，分為 400 股；同年 4 月 1 日又以〈運輸會社〉為題，報導其將在全臺各大火車站設立倉庫與據點，也在臺中火車站設立了倉庫以及代理店（代理店為日文用法，類似現在的直營分店）。

說到當時的倉庫，大致可分為三種型式：一為木造，即建於臺中火車站周圍的第一、第二貨物倉庫，現已不存；二為土角磚造，某些鄉村聚落仍可見其蹤影；由於前兩種易受臺灣氣候潮溼、建材耐久性不足等影響，目前已相當少見，如今普遍見到的當屬第三種以磚造作為倉庫的主體，而其中享有較高知名度與妥善利用者正是 20 號倉庫群。

現存保留在臺中火車站周邊的磚造倉庫群，大致分布在新民街 11 到 17 號倉庫以及復興路四段 37 巷內的 20 到 26 號倉庫群。隸屬臺鐵的這些倉庫，當時提供裝載諸多農產品貨物，如臺中出產的米糧、香蕉等，甚至在戰後為了要修復遭美軍空襲而殘破不堪的鐵道，1948 年 7 月便在臺中火車站與倉庫群附近成立臺中鋼梁廠，所在地為今復興路、南京路與新民街圍繞的區域，是當時臺灣鐵路局在鐵路軌道方面的唯一生產機構，用來修復受損的鐵道與鐵橋，後來遷址烏日，目前尚有攤商與鐵路警察局進駐，不過廠房與宿舍為閒置狀態。

其後隨著時代演進，臺中市逐步邁向都市化與擴張規模，原位於臺中教育大學周圍的稻田被重劃為文教區，例如日治末期昭和 12 年（1937 年）規劃興建的大和村，而戰後臺中北區

大和村

範圍為今臺中市西區民權路、向上路、公益路與英才路圍繞的區域，涵蓋後龍里與双龍里。大正 15 年（1926 年）至昭和 4 年（1929 年）臺中市人口增加，必須進行開發解決住宅不足的問題，因此昭和 12 年（1937 年）便由郡茂德擔任組合長，成立「大和村建築信用購買利用組合」，購買當時臺中市西郊一帶土地，興建以中堅階級為對象的中流住宅；此外，大和村也未像當初臺中市規劃為全面偏移 45 度角，昭和 17 年（1942 年）興建完成後，號稱是當時臺中唯一的文化住宅街，孫立人將軍當年被軟禁的住所也位於村中。

2016 年 5 月 13 日的新民街倉庫群一景。

2016 年 8 月 16 日早晨新民街街道兩旁攤商做生意與民眾採購的景象，幾乎日日人山人海。

的香蕉出產地也被重劃發展成商業聚落，再加上周圍學校林立如臺中科大、臺中一中、新民高中等，如今也都發展成一中商圈，不再生產香蕉。

隨之而來的則是臺中火車站的農業輸出量漸次下滑，工業產品的輸出開始分散到其它地方，工業生產集中到了如 1980 年開發完成的臺中工業區及 1970 年建設完畢的潭子加工出口區，相關的產品與原料不再藉由臺中火車站輸送，再加上 1978 年全線通車的中山高速公路（國道一號）便捷了公路的物流運輸，在在使鐵路運輸遭受打擊。

當臺中發展成為一座消費型的都市後，也改以服務業等三級產業為主，導致臺中火車站的運輸物流量逐年遞減。彼時的運輸方式分為整車運輸與零擔運輸，所謂整車運輸，是以一節車廂為貨物單位的運輸方式；零擔運輸，則是指不足裝滿一車的貨物與其它貨物共享一輛貨車的運輸方式。1991 年時，臺中火車站的零擔貨物業務終因不具經濟效益而停辦，至今亦無貨運服務，僅供行李托運。

自從臺中火車站的貨運量開始下降後，這些倉庫也逐漸喪失了存放貨物的功能，但例外的是，分布在新民街 11 到 17 號倉庫群周圍的是建國市場周邊的新民街市集，攤商們皆有囤放貨物等需求，因此當臺鐵終止使用新民街的倉庫群後，攤商們便加以利用，改裝為雜貨店鋪、或改為存放生鮮食品，使倉庫能繼續見證臺中火車站周邊的發展。及至 2016 年 5 月 30 日，臺中市政府便以「臺中市火車站附屬設施及建築群（新民街 8、10 號倉庫）」為名，將新民街 8 號及 10 號倉庫指定為古蹟。

相較之下，復興路四段 37 巷內的 20 到 26 號倉庫群就顯得命運多舛。前文提及 1995 年欲進行臺中鐵路地下化工程時，便傳出臺中火車站連同周圍的 20 號倉庫群將被拆除的消息，不過由於地下化工程的中止，加上臺中火車站已被列為古蹟保存，20 號倉庫群方得以免於拆除命運。

儘管如此，20 號倉庫群在當時仍屬閒置空間，因此如何加以活化利用便是政府的一門課題。1998 年時，臺灣省文化處正推動由建築師沈芷孫、劉舜仁規劃的「臺灣鐵道藝術網絡計畫」，首站便是將臺中火車站周圍的 20 到 26 號這七間倉庫進行改造。《聯合報》在同年 5 月 15 日即以〈閒置鐵路貨運倉

庫　將闢成藝術工作站〉為題，報導省文化處將向省鐵路局租用臺中火車站第20到26號倉庫，其中六間提供給藝術家使用，第20號倉庫被規劃為藝廊，20號倉庫前的廣場則規劃為表演藝術的活動場地，預計耗資3,000萬元整修，並交由建築師姜

2016 年 7 月 22 日所攝 20 號倉庫群中的 26 號倉庫一景。

2012 年 3 月所攝 20 號倉庫廣場出入口前的黃昏景致，後方為興建中的高架鐵路，前方的神鑑大樓原為 1999 年 7 月 6 日開設的金沙百貨，2005 年 2 月 26 日失火後結束營業，2015 年 3 月 3 日重新開張為李方艾美酒店。

樂靜負責，融合臺中 20 號倉庫原有的空間性格，重新打造為一展現歷史記憶與臺灣藝術活力的處所。

1999 年 3 月 26 日終於將 20 號倉庫群的相關修復發包，但修復期間卻遇上九二一大地震，致使 20 號倉庫群的部分牆壁在強震後出現龜裂，進行中的整修工程被迫全面暫停，等待建物補強。《聯合報》該年 10 月 6 日以〈臺中廿號倉庫　暫停整修〉為題，報導當時文建會中部辦公室會同建築師前往臺中 20 號倉庫勘查災情，發現除了山牆、屋脊破損外，22 號倉庫牆面亦有龜裂現象。於是文建會開始研商縮短 20 號倉庫的修復工作時程，經預估最快至 2000 年 1 月才能進駐使用。最後歷經半年多的努力，20 號倉庫的相關修復終於在 2000 年 6 月完工並啟用。

未料後來臺中火車站進行改造工程時，20 號倉庫竟又再度面臨拆地危機，那是 2005 年鐵路改建工程局規劃將臺中車站區段立體化，興建一座高架橋，由於高架橋將行經 20 號倉庫群，因此必須將之拆除。消息一出立刻引起軒然大波，是年 6 月 24 日《聯合報》即以〈臺中 20 號倉庫　恐遭腰斬〉為題，報導 20 號倉庫將有五間被拆除，交通建設與藝術產業的衝突浮上檯面。其後隨著區段立體化計畫的取消，20 號倉庫的拆除危機就此解除，駐村藝術家們亦得以繼續在此發展。到了 2016 年 6 月 23 日時，市政府便以「臺中市火車站附屬設施及建築群」為名，將新民街倉庫群、20 號倉庫群一同指定為歷史建築。

如今 20 號倉庫 (39) 已有許多藝術家的創意萌發與茁壯，是孕育藝術家們藝術職涯扶搖直上的搖籃。有些駐村藝術家將 20

號倉庫視為藝術堡壘，以倉庫為據點打拚；有的將之視為中繼港，在 20 號倉庫的租約到期後，便再次航向下一個駐村點，繼續為藝術職涯奮戰。無論藝術家們來到 20 號倉庫的目的為何、經營何種藝術類型，駐村藝術家們都讓 20 號倉庫有了創意的空間活化與再造，成為許多舊空間再利用的典範。期許 20 號倉庫能持續擴增既有規模，不只作為藝術家的辦公室，更進而成為吸引大眾的藝術聚集地，是參觀者的美術館、文化沙龍，亦是中區再生的支點。

｜果香盈室｜臺中香蕉物流與巴洛克式街屋

談到香蕉的盛產地，大概所有人的腦中都會立刻浮現高雄市旗山區等地，但似乎不會聯想到臺中，畢竟臺中市已發展為消費型的都市，以服務性質的產業為主，況且除了在工業區尚有工業產業的發展空間外，東區、南區的「黑手窟」產業都已逐漸式微，農業更是早就在臺中市的大宗產業 (43) 中除名。

儘管現狀如此，但日治時期的臺中卻是以農業為大宗，並以加工出口農業產品如砂糖、酒為主要工業。彼時臺中除了大量輸出米糧還盛產香蕉，香蕉在當時便名列從臺中火車站輸出的五大貨物（香蕉、米、砂糖、酒、磚頭）之首。

依據《臺中市史》的統計，大正4年（1915年）從臺中火車站輸出的香蕉數量為5,720噸，僅次於米糧的7,183噸、砂糖的20,302噸。雖然大正6年（1917年）以前，從臺中火車站輸出的香蕉噸位少於米糧跟砂糖，不過由於米糧跟砂糖的質量相對較重，因此若單以「重量」作為貨物統計便不易反映當時臺中火車站為輸出該項物產的「出車數」；再加上香蕉相對較脆弱，保存較不易，為了能妥善運輸往往必須使用籃子加以保護，這也使得香蕉比起米糧、砂糖占空間。因此，若以裝箱的「車輛數」來作統計，將更足以彰顯臺中香蕉與物流的繁榮程度，可惜的是資料中僅有以「籃數」來計算香蕉的運輸量，並沒有「出車數」的相關統計。

不過由此我們也能想見當時臺中火車站運輸香蕉的繁忙與動用的人力之多，在許多現存的日治時代的老照片中，也都反映出了彼時臺中火車站周圍市場運輸香蕉的榮景。

其實日治初期的臺中便已開始大力發展香蕉產業，《漢文

列車
臺中
(臺灣青果物同業組合)

昔時臺中火車站運輸香蕉的場景，可看出包裝處理的方式以及人力搬運的需求，而由此發展成的「荷物組合」，則專門進行蔬果檢查、產品銷售、包裝處理等業務。（國家圖書館／提供）

臺灣日日新報》於明治41年（1908年）12月2日就以〈山蕉利用〉為題報導當時臺灣的香蕉產業狀況，報載當時臺灣到處皆產有香蕉，其中又以臺中與南投最多，同時政府也著手規劃增加香蕉的產量。

除了種植香蕉以外，為了因應大量的香蕉出口，部分人士便開始打算組織會社進行管理，明治44年（1911年）10月13日《漢文臺灣日日新報》便以〈臺中近事　芭蕉會社計畫〉（日文常以漢字「芭蕉」來稱香蕉）報導了臺中芭蕉會社的成立構想，後來果然順利組成會社。

其後，從臺中火車站輸出的香蕉數量逐年增長，大正8年（1919年）時的香蕉輸出量便達到了13,690噸，超過米糧9,717噸的輸出量，僅次於26,187噸的砂糖輸出量。及至大正10年（1921年），臺中火車站輸出的香蕉數量更是達到了19,711噸，一舉超越了砂糖輸出量的15,067噸，這除了是香蕉的產量大增外，也與該年度臺中火車站輸出的砂糖數量下降有關。不過即使後來砂糖的產出量繼續增長，香蕉數量卻也逐年攀升，此後臺中火車站輸出的產品便以香蕉高居第一。

伴隨著臺中火車站輸出的香蕉數量增加，蔬果的交易場所也應運而生。在當時的臺中火車站周圍，除了原有位於今臺灣大道與綠川西街口的第一市場（今已改建為東協廣場）(44)，以及位於今臺中文化創意園區旁，臺中路上的第三市場 (45) 外，還有在今大智路、和平街、信義街以及振興路所環繞的區域內成立的果實市場，都有香蕉等蔬果的大批發。

有了蔬果交易場所後，不少會社與組合也紛紛成立，例如在臺中火車站周圍，今中山路上便成立了如青果會社、青果聯合會等機構，甚至當時頗負盛名的青果同業組合也在今民權路與柳川東路口設立據點。此外，從昭和 12 年（1937 年）3 月 23 日出版的〈臺中市地圖〉的標記，可看出這些會社與組合在當時的香蕉產業，乃至於整個臺中產業都占有相當重要的一席之地。

影響所及，不只帶動起周圍從事香蕉等蔬果物流商家的富裕興盛，連帶促使商家的建築設計更為鋪張華麗，例如目前復興路上保存最為完整的巴洛克式街屋即是位於復興路四段與復興路四段 73 巷的交叉口，屋主陳文銘正是以經營香蕉產業致富，曾任臺中容器組合理事、信用組合監事。

陳文銘興建這棟街屋時，於山牆浮雕出一個(文)字，路寒袖主編的《臺中風華：60 個獨享臺中的文化景點》便以「(文)青果組合會社」為該棟街屋命名；而以其名的「文」字作為山牆裝飾，則使街屋顯得霸氣十足。此外，街屋一樓的柱子設計，乃是結合兩根仿希臘柱式中的多立克柱式與一根長方柱組成一體，共設有四組，營造出「四柱三開間」的建築格局，不但具

2015 年 4 月 4 日所攝的(文)青果組合會社，目前宅第尚有人居住。

青果組合會社建築二樓立面特寫。可看出前方立面是以洗石子為表面，有羅馬式的拱門窗，而後方則以清水磚磚砌表面，並改為長條狀窗戶。

青果組合會社的建築立面。該建物位於復興路四段與復興路四段 73 巷的交叉口，從復興路四段 73 巷能通往復興路四段 37 巷 2 弄的臺鐵宿舍群，目前街屋後方的庭園仍植有桂花，因此每年初秋都能在巷道中嗅聞桂花清香。

【上圖】(文)青果組合會社屋頂上的山牆，除了以「(文)」字作為主體裝飾外，四周也飾以花草紋。在巴洛克建築立面中，屋頂突出的裝飾性牆面（山牆），一般多以中間高、兩側低的三角形，亦即「山尖形」為主要設計，不過(文)青果組合會社的山牆是建以拱圓形。「女兒牆」係指建物屋頂外圍加蓋的矮牆，一般都會加上加飾匾額框，或是以浮雕圖案為主。此外，在(文)字浮雕下方刻有一顆鳳梨，山牆上則有一隻鳥，應為鴿子。

【下圖】(文)青果組合會社右邊特寫。從右邊的女兒牆上可以看到一艘蒸汽船，此一設計呼應著當時以香蕉為首的臺灣蔬果產業大多藉由鐵路將農產運往基隆港或高雄港，再外銷至日本、中國等國。街屋的頂部另設有六座「收頭」，即建物頂部裝飾性的柱子，通常設於山牆或是女兒牆兩側，且大部分的收頭多為獎盃形，但(文)青果組合會社則有其它雕飾，從收頭頂部的形態研判應為龍生九子中排行老七的「狴犴」，雖然也有獎盃形狀的收頭，但龍邊獎盃狀的收頭已破損，僅留下內部支撐固定用的鋼條。

有加大面寬的效果也使整體建築更加華麗與穩重。

會社的二樓則刻意與一樓的立面做出區分，以六根柱子區隔出五扇窗，增加立面的空間感，柱子則以多立克柱式仿圓柱，更透過拱形梁的設計讓窗戶呈現羅馬窗的樣式，整體空間極具羅馬式建築的穩重感。在頂部山牆部分，則有諸多型式各異的雕刻，多數浮雕也以「開模印花」的技術製作，即是以多片模具印製完成後再進行組裝，在製作的過程中也會放入鐵絲或木板做成骨架，再以水泥浮雕固定成形。若進一步觀察就能發現到其中有一面大船入港意象的浮雕，同時在山牆上的文字圖案下方還刻有鳳梨浮雕，這除了與經營鳳梨的銷售有關外，也象徵著「旺來」之意。後來因為青果組合會社移往他處，此建物便售予了當時畢業於臺北帝國大學醫學系，取得博士學位的鄭傳對醫師。

鄭傳對曾於昭和 4 年（1929 年）至昭和 6 年（1931 年）任職於臺中醫院，昭和 6 年（1931 年）後離職，後就讀於臺北帝國大學，1945 年時獲得醫學博士學位，為臺北帝國大學創校以來最後一批授予博士的學生。被國民政府接收後的臺北帝國大學，在 1945 年改制為國立臺灣大學。

後來鄭傳對返回臺中開業，買下㊫青果組合會社，重新裝修為外科診所，名為「鄭外科」。1954 年，鄭傳對的老師杜聰明博士 (46) 正準備創建高雄醫學院，在醫界與全臺各地仕紳的努力下，同年 10 月 16 日終於創立了高雄醫學院，並由曾任高雄州協議員、高雄市市長的陳啟川先生擔當首任董事長。高雄醫學院在 1999 年 8 月 1 日改制為高雄醫學大學。

由於杜聰明博士是鄭傳對的恩師，因此當 1954 年解剖學科隨著高雄醫學院的成立而創設，亟需相關師資時，鄭傳對受杜聰明邀請後，便不辭辛勞擔任解剖學科副教授，前往高雄醫學院任教。當時高雄醫學院的學生都暱稱鄭教授為「阿對伯」，鄭傳對的教學工作也一直延續到 1975 年 8 月才宣告退休。

因為要南下高雄教書，鄭外科便歇業，鄭傳對也把街屋租給協和外科，此診所目前位於㊫青果組合會社附近，並在東區大公街繼續開業。待協和外科退租後，又轉租給彭耳鼻喉科，後來彭耳鼻喉科又改到斜對面開業，㊫青果組合會社便被收回改為一般住家，目前為鄭家後代所居。

㊫青果組合會社後方特寫。該街屋後方是以清水磚來構築及支撐，牆面為荷蘭式砌法，即先砌上一排長邊磚頭再砌上一排短邊磚頭。「清水磚」則為表面平整細緻的紅磚，特性在於磚頭密實平均，無凹凸、窯斑、氣孔、裂紋或雜石屑等，外觀深紅均勻並具光澤、能抗風化，因此適合作為外牆使用。

在整條復興路四段中，除了㊫青果組合會社街屋為巴洛克式風格外，還有一棟現存的巴洛克式街屋就在復興路四段與大勇街交叉口附近，目前一樓開設「黃師傅燒臘鋪」。與㊫青果組合會社一樓設有四組柱子不同，這棟街屋門前僅設有兩組柱子，是以一根方柱加上多立克式圓柱為一組，視覺效果寬敞大方，而二樓則以三面拱門窗作為立面樣式。其中，與㊫青果組合會社最大的差異在於其頂部山牆構造係以「鮑魚飾」作為立

2015 年 9 月 11 日所攝，可看到街屋二樓的拱門窗以及頂部的女兒牆與山牆，女兒牆的浮雕裝飾是以幾何形狀構築，山牆上則以「鮑魚飾」作為裝飾。鮑魚飾又稱勳章紋飾，即形似勳章的雕飾，常見的形式有方形和橢圓形，四周並以花草紋裝飾，多見於山牆上方或門窗開口處。

面的裝飾，可惜後來重新裝修的街屋立面已有所改變，而且目前街屋頂部的山牆仍繼續進行整修工作，或許是為了避免街屋持續受損因而大面積加蓋了鐵皮作為保護，但卻也因此遮擋住街屋頂層的女兒牆及山牆。如果有興趣欣賞這座街屋的容貌，可以藉由 google 街景地圖，將時間軸調整至 2009 年 8 月，便能一覽其立面外觀與變化。

另有一棟也是仿巴洛克式、位於臺中市東區復興路四段

53 號的街屋，屋主為林通，街屋立面比之㉆青果組合會社更加寬廣，且街屋後方還設有果園。此街屋開設的「林通商行」也從事於香蕉等水果物流的經營，而林通本人的事業版圖除了跨足香蕉蔬果物流業、汽車運輸等，還曾同時擔任芭蕉移出商林通商店主、朝日自動合資會社代表社員、日月潭線乘合自動車經營，也為松山材木商行代表者，亦經營過「貸地業」，即日治時期的資本家購買土地供佃農耕作再抽成農產品的行業。

林通商行在戰後仍經營了一段時日，1978 年 9 月 8 日還登記設立公司，1988 年 12 月 29 日公司解散後，約於 1991 年改建為現在的中帝金融大樓。中帝金融大樓的建設相當氣派，除了門口處以大片瓷磚構成的方柱與以洗石子工法裝飾的圓柱外，外牆的洗石子牆面如磚砌般地互相間隔構築，除了能避免洗石子表面因熱脹冷縮導致破裂，也讓立面擁有石砌的質感，而大樓立面的窗戶大小適中並以長條狀排列，亦使整體呈現穩重與堅實。

除了這些在復興路上的巴洛克式街屋外，其實臺灣大道上也有一棟以清水磚及灰白水泥飾帶建構的街屋，其浮雕與裝飾

經過訪談得知此棟建物應為林通商行一景，雖僅為局部，但也能感受到當年的氣派。據聞此處約 50 年前曾開設過米店，街屋門口也曾設有豐員客運與臺中客運的站牌，可在此搭車到臺北。（引自《臺灣近代建築》，遠景編輯部／翻攝）

2016 年 11 月 16 日所攝的全安堂現況，目前以博物館的方式經營。

並不亞於(文)青果組合會社、黃師傅燒臘鋪。這棟名為全安堂的街屋，於明治 42 年（1909 年）建成，日治時期是間藥局，也經營金融業務，創立者為盧安，前駐日代表許世楷先生以及夫人盧千惠女士是他的孫女婿與孫女。

全安堂的建築，有著中間突出的山牆高於兩旁的特徵，整體外觀為「辰野式」風格，並以清水磚及灰白水泥飾帶加以美化。一樓為方形飾柱及長距離拱形跨距，建物門面看來十分寬敞，而高大的山牆、鮑魚飾以及邊條裝飾帶的設計都使整座建築物散發出一股精雕細琢之感。此外，不只牆面飾有各式浮雕，中間樓牆還有鮑魚飾浮雕，騎樓門柱則以拱門形狀的大跨距來組構。

然而這棟富有建築特色的全安堂，卻在第一代去世後因產權爭議險遭拆除；也曾有太陽餅業者在此開業，但卻以大型的廣告帆布罩住了二樓，讓人無法欣賞到全安堂樓頂那美麗的山牆浮雕與女兒牆紋路，最終也告歇業。

街屋最後是由臺灣太陽餅博物館執行長陳瑛宗接手，重新整修成為太陽餅博物館，並於 2015 年 5 月 2 日開幕。博物館主要是為了紀念太陽餅的發明人，人稱阿明師的魏清海老先生，而館中也有太陽餅等糕點製程的相關介紹，店內的太陽餅皆以直系傳承的手藝製作，同時也舉辦各種相關的展覽及藝文活動。

｜最後的防守｜防空壕及碉堡群

許多行經新臺中火車站復興路出入口及周圍的民眾都不清楚附近其實遺留著防空壕及碉堡群，這些戰時遺跡分布在如臺

復興路旁的機槍碉堡，周圍並無相關介紹與標示，因此多數人並不清楚碉堡的用途與建造時間，甚至不知道這就是碉堡。

中火車站前停車場出入口、臺中火車站前站西南側鐵道，2014 年 7 月 11 日時被指定為歷史建築。

臺灣在太平洋戰爭期間未能置身於烽火之外，甚至曾被選入美軍登陸地點，後來美軍實施跳島戰術，臺灣才未遭登陸。當時為了防患未然，便在交通要地興築了防禦性設施，臺中火車站周圍的機槍堡就是由防守臺灣中部地區部隊的第 71 師團所建置的防禦作戰工事。

由於戰事激烈，臺中也受到無情炮火的轟炸，因此臺中火車站與綠川周圍也都設有防空壕，不過後來綠川同心花園進行美化改造運動，綠川周圍的防空壕也就跟著拆除搬離。

結　語

駁坎上的鐵道

當鐵道高架化的那一刻，舊有駐守路面的鐵道便如垂垂老兵功成身退。儘管已然退役，這些鐵道其實仍蘊含著諸多新生的可能。國內外改造舊有鐵道已有許多成功案例，可供臺中鐵道軸線改造參考，若再進一步連結周邊歷史與文創建物，鐵道與舊城活化新生的願景指日可待。

台中車站 Taichung-Station

追尋臺中火車站的發展歷程、周圍建築的興衰始末，歲月鐫刻出臺中火車站百年風華與故事，在交錯流動的旅人心間留下一抹永恆。鐵道高架化之後，路面鐵道停駛，鐵路電氣化的電纜被拆除，久無火車行駛的鐵軌鏽跡斑斑，昔日火車行經鐵橋發出的特殊喀喀聲響已成沿線居民永遠的回憶。

接著，鐵道軸線的改造計畫面世，即鐵路綠空鐵道軸線計畫。主要針對舊鐵道的利用所進行的計畫，目的在於藉由改造鐵道駁坎，發展成人行綠廊空間，串聯臺中糖廠生態園區、干城商業區開發、刑務所園區等，結合現有的臺中文化創意園區、20 號倉庫，達到活化老屋並使中區再生。

改造舊有鐵道空間在國外其實早有不少成功案例，例如 1993 年改造完成的巴黎綠蔭步道、2006 年對這段廢棄鐵路進行的再開發，以及 2009 年、2011 年和 2014 年分三階段完工的紐約高線公園（The High Line Park）；另外，2015 年開始進行活化工程，至 2017 年 5 月竣工的「首爾站 7017 計畫」，即是韓國首爾市透過首爾站高架道路的重生，大幅提升步行環境並促進都市更新，讓高架車道變身綠意盎然的步行天堂。至於國內的案例則有 2005 年 4 月 17 日啟用的后豐鐵馬道，這是將因「臺中線雙軌工程」而廢止的舊山線鐵路改造為大眾所熟知的自行車步道，也頗獲好評。

透過這 1.6 公里的舊鐵道改造為人行、自行車空間，吸引在地與外地人潮湧入，刺激商家的投資意願進而改造閒置空間，例如前文介紹的臺鐵舊宿舍，以及千越大樓、遠東百貨等，這種活化既有空間使具歷史性的建物重新再生正是當前趨勢，宮原眼科、魏清海太陽餅店亦為成功的案例。

那麼這條鐵道軸線呢？或許我們可以將它變成一條介紹臺中發展歷史與文化脈絡的廊道，而除了原有的穿堂功能外，也能進一步把舊臺中火車站改造為類似日治時期設立的物產陳列館，展示臺中特有的物產，另外再針對臺中火車站及周邊景點建築做介紹，尤其火車站出入口前的機槍碉堡與防空洞更可以成為戰時臺中遭受轟炸的歷史見證，使至鐵道軸線遊玩的朋友得以更深入認識臺中。活化臺中鐵道軸線、重生周圍歷史建築，是臺中綠空鐵道軸線保護與規劃的願景，更是臺中舊城區新生的希望，期許臺中風采益發燦爛煥然。

後記

作爲一輛火車頭

百年來臺中火車站始終專心一意凝視著來來往往、紛紜雜沓的旅人，它的興建因緣、豐厚內蘊以及起伏跌宕的生命脈絡，至今少有人深入探究。本書透過文獻資料的輔助，拼湊臺中火車站的全貌；由身歷其境的文人仕紳親筆寫下的記錄，重現昔日場景。期待本書能發揮火車頭的作用，引領追尋臺中火車站百年歷史的列車穩健前行。

台中車站 Taichung Station

人潮浩繁的臺中火車站，看似最為人熟悉，但它深厚豐富的歷史生命、源遠流長的演進變遷卻罕為人知。

臺中火車站的今昔沿革與其周邊的發展歷程，可說正是臺中市遞嬗轉變的縮影。自清末劉銘傳準備建立臺灣府省城開始，到日治初期對臺中進行的一連串都市規劃，在明治 33 年（1900 年）1 月公布的「臺中市區設計圖制定」中，往外延伸擴展了原本囿限於城牆內的城市，街道由蜿蜒曲折變為整齊有致的棋盤式街廓，而後確定了火車站的興建位置，明治 38 年（1905 年）6 月 10 日竣工的第一代臺中火車站更使臺中市的發展扶搖直上，就在這般發展政策與交通便利的推動下，日治初期的臺中市規模大幅超越了豐原與彰化，成為臺灣中部地區首屈一指的大都會。

儘管歷史輝煌，卻極少有人探究爬梳臺中火車站的百年變遷，許多相關的專書也僅僅著重在臺中火車站的建築型式，就連與臺中火車站相關的研究論文也不是以歷史沿革作為研究目標。目前共有兩篇以臺中火車站作為研究背景的論文，一篇是李勤所著的〈臺中火車站與高鐵臺中站女性廁所滿意度之探討〉，論文主題是以臺中火車站及高鐵臺中站女廁作為研究對象，調查臺中火車站及高鐵臺中站女廁的體驗者對此二站的體驗經驗；第二篇是李勇慶所著的〈輻射彈緊急應變範圍之研究——以臺中火車站為例〉，論文選擇以臺中火車站為事故地點，談論如何防範輻射彈恐怖攻擊與處理。

也因此，現在我們大概只能透過維基百科或是臺鐵網站才能粗略得知臺中火車站的沿革與歷史簡介。雖然這些管道讓我們得以簡潔快速地獲取資訊，但對於臺中火車站與周邊發展的詳盡資料卻付之闕如；此外，部分條列的臺中火車站沿革並未能在相關史料上獲得印證，事件的真實性不免令人質疑，例如臺中火車站網站上的事紀中提到 1946 年 3 月 1 日蔣介石總統首次來到臺中站，但查閱諸多相關的資料與報紙後，卻未找到有關的記載與報導。

考量目前臺中火車站與其周邊的歷史研究寥寥無幾，當中有許多細節與故事尚未為人所知，因此希望能藉由相關文獻與資料的輔助，拼湊與敘述臺中火車站的歷史面貌，例如臺中火車站的拆除拉鋸戰、SARS 期間對臺中火車站的影響等，以及重現火車站周邊的糖鐵鐵路、手押臺車軌道與營運的舊時歲月。

書中另輔以相關報導來凸顯事件受關注的程度，並透過回憶錄或日記對照地方仕紳與名人在火車站周圍的生活概況，例如太平洋戰爭末期在臺中火車站餞別的場景、在《灌園先生日記》中林獻堂搭乘手押臺車參加聚會、《巨流河》作者齊邦媛女士在臺鐵的臺中宿舍群裡生活的點滴……以此成為追尋臺中火車站歷史進程的開端，吸引大眾關注進而深究，使臺中火車站的歷史更臻完備。

時代與社會急速變遷，臺中火車站與中區受到衝擊，原本熱鬧的街巷頓時沉寂。這些曾經是人流駐足的建築物，依舊在原址等待人們的再次光顧。（朱書漢／繪）

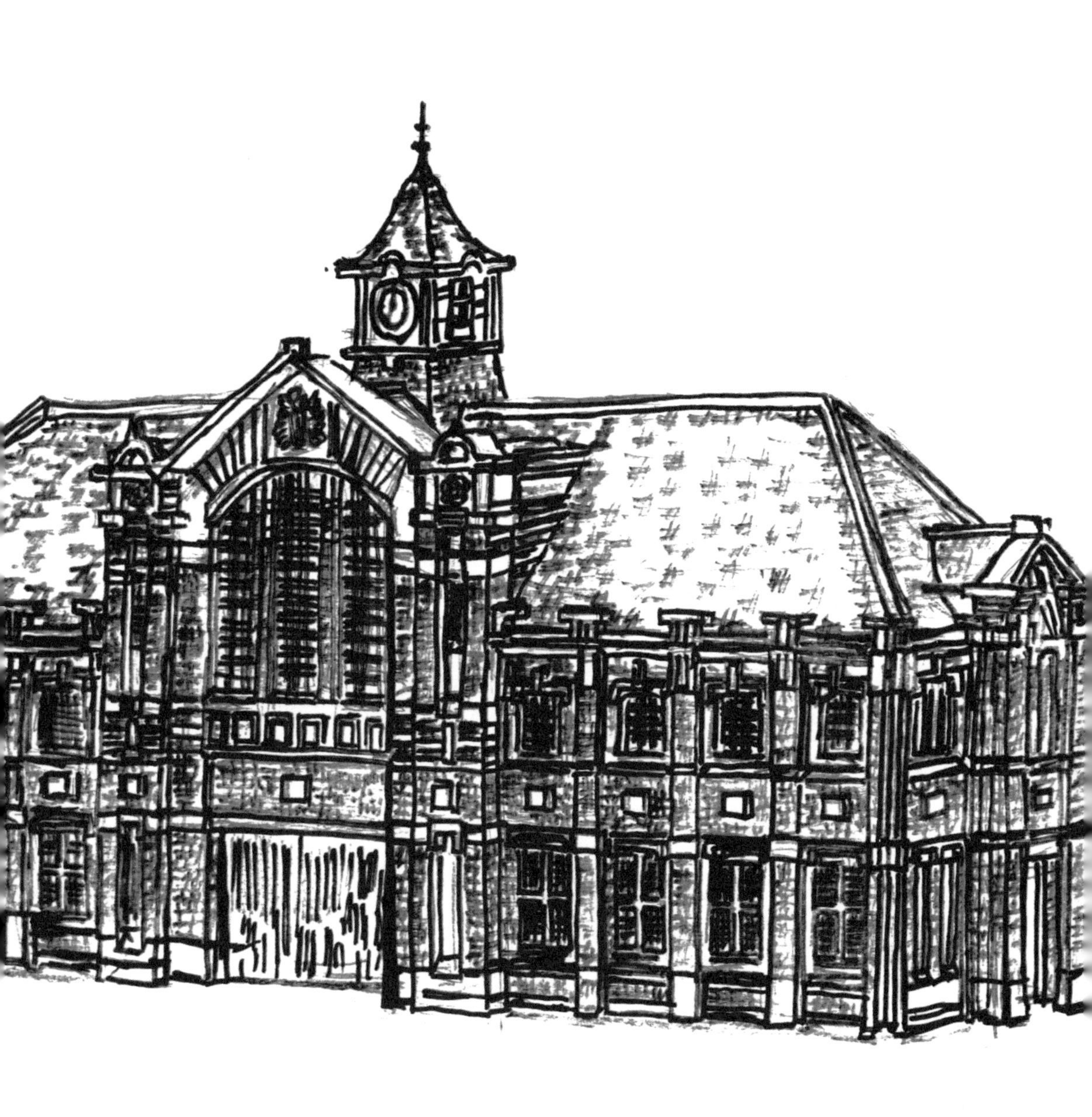

附錄

臺中火車站大事紀

台中車站 Taichung-Station

年代	日期	大事紀
明治 33 年（1900 年）	1 月	公布「臺中市區設計圖制定」，進行市區改正。
明治 36 年（1903 年）		第一代臺中火車站選址確定，並由臺灣總督府鐵道部規劃設計。
明治 38 年（1905 年）	5 月 15 日	第一代臺中火車站興建完成並營運。
明治 41 年（1908 年）	4 月 21 日	臺中火車站設置興建機關庫，並於隔年啟用。
	10 月 24 日	於臺中公園舉行「縱貫鐵道全通式」，並邀閑院宮載仁親王來臺參加。
明治 42 年（1909 年）	5 月 22 日	臺中火車站舉辦「汽車博覽會」，至同年 6 月 7 日結束。
大正 5 年（1916 年）		第二代臺中火車站確定興建，並由臺灣總督府鐵道部規劃設計。
大正 6 年（1917 年）	11 月 6 日	臺中火車站舉行落成儀式。
大正 12 年（1923 年）	4 月 19 日	時為皇太子攝政的裕仁至臺中視察。
大正 15 年（1926 年）	3 月 28 日	舉辦「中部臺灣共進會」。

昭和 10 年（1935 年）	4 月 21 日	發生新竹－臺中地震，臺中火車站受波及，但結構並未大損。
昭和 20 年（1945 年）	2 月	臺中受美軍轟炸，臺中火車站也遭受波及，但損傷不大。
民國 38 年（1949 年）		增建右翼候車室與貴賓室，隔年完工。
民國 42 年（1953 年）	7 月 11 日	臺中火車站的跨站天橋落成。
民國 53 年（1964 年）		原中南驛改建為臺中後火車站。
民國 62 年（1973 年）		計畫實施電氣化工程，山線鐵路亦在計畫範圍內。
民國 67 年（1978 年）	8 月 15 日	電氣化工程完工，第一代自強號 EMU100 型電聯車開抵臺中火車站。
民國 81 年（1992 年）	6 月 22 日	通過臺中火車站聯合開發第一期工程財務計畫案，臺中火車站保存與否陷入白熱化。
民國 84 年（1995 年）	4 月 22 日	臺中火車站與前門廊、第一月臺被指定為第二級古蹟。
民國 87 年（1998 年）	10 月	山線全線雙軌化完工。

民國 88 年（1999 年）	9 月 21 日	發生九二一大地震，臺中火車站受損嚴重。
民國 89 年（2000 年）	1 月	臺中火車站成為國定古蹟。
民國 90 年（2001 年）		由何肇喜建築師事務所進行臺中火車站整體修復工程調查研究及修護計畫。
民國 91 年（2002 年）	8 月 9 日	自強號於臺中火車站南端發生出軌事故，造成南北雙向不通車。
	11 月 20 日	進行結構補強及鐘樓修復工程，隔年 6 月 10 日完工。
民國 93 年（2004 年）	12 月 1 日	進行臺中火車站修復工程調查研究及修護工作。
民國 94 年（2005 年）	11 月 5 日	臺中火車站站前廣場舉行「臺中車站修復完工典禮暨慶祝活動」。
民國 98 年（2009 年）	9 月 24 日	高架化鐵路工程動工。
民國 101 年（2012 年）	9 月 28 日	臺中車站高架化新站工程動工。
民國 105 年（2016 年）	10 月 16 日	高架化鐵路通車。

台中車站 Taichung-Station

參考書目

台中車站 Taichung Station

書籍

1. 《詩報》第 208 號。
2. 泉風浪，《臺中州大觀》，臺北：南國出版協會自治公論社，1922。
3. 山川朝章，《臺灣風景寫真帖大正十四年》，臺北：統計時報社，1925。
4. 臺中市役所編，《臺中市管內概況》，臺中：臺中市役所，1927、1934、1938、1939、1940。
5. 氏平要、原田芳之，《臺中市史》，臺中：臺灣新聞社，1934。
6. 金子常光，《臺中市要覽》，1934。
7. 臺中州編，《昭和十年臺中州震災誌》，臺中：臺中州，1936。
8. 郡茂德（代表者），《臺灣青果同業組合聯合會創立十年史》，臺中：臺灣青果同業組合聯合會，1937。
9. 賴順盛、曾藍田，《臺中市發展史》，臺中：臺中市政府，1989。
10. 呂順安主編，《臺中市鄉土史料》，南投：臺灣省文獻委員會，1994。
11. 陳天武、粘銘波等，《臺中市珍貴古老照片專輯》，臺中：臺中市立文化中心，1995。
12. 余如季，《綠川同心花園》，臺中：臺中市立文化中心，1998。
13. 林獻堂、許雪姬等註解，《灌園先生日記》，臺北：中央研究院臺灣史研究所籌備處，2000 ～ 2013。

14. 劉舜仁主編，《臺灣七大經典車站建築圖集》，南投：文建會中辦室，2001。
15. 蘇昭旭，《臺灣鐵路火車百科》，新北：人人出版：聯合發行經銷，2002。
16. 李乾朗，《臺灣近代建築：起源與早期之發展 1860-1945》，臺北：雄獅圖書股份有限公司，2002。
17. 李世珍、路寒袖，《臺中風華：60 個獨享臺中的文化景點》，臺中：文化總會中辦室，2003。
18. 何肇喜研究主持，《第二級古蹟臺中火車站整體修復工程調查研究及修護計畫》，臺中：臺中市政府，2003。
19. 吳依凡、李朝倉執行編輯，《月臺神話：臺中火車站、二十號倉庫周邊環境再造計畫》，臺北：行政院文化建設委員會，2005。
20. 王貞富計畫主持，《第二級古蹟臺中火車站整體修復工程施工紀錄及工作報告書》，臺中：臺中市政府文化局，2006。
21. 東海大學建築系編，《臺中市日治時期建築與文化》，東森傳播事業股份有限公司九二一賑災捐款指定計畫及出版，2008。
22. 國立中興大學編，《臺中市志》，臺中：臺中市政府，2008。
23. 齊邦媛，《巨流河》，臺北：天下遠見出版股份有限公司，2009。
24. 何培齊，《日治時期的臺中》，臺北：國家圖書館，2009。
25. 蘇昭旭，《臺灣輕便鐵道小火車：臺灣鐵路火車百科 II》，新北：人人出版：聯合發行經銷，2011。
26. 路寒袖主編，《行走的詩：獻給臺中的五十首地景詩》，臺中：臺中市政府文化局，2016。
27. 《Rail News 鐵道情報》第 231 期，臺北：中華民國鐵道文化協會，2016。

｜碩博士論文｜

1. 賴志彰，〈投機城市的興起——戰後臺中市都市空間轉化之研究〉，臺北：國立臺灣大學建築與城鄉研究所博士論文，1997。
2. 張嘉玲，〈臺中市都市空間體系的建構與擴展〉，臺南：國立成功大學建築學系碩士論文，2004。
3. 吳念容，〈日治時期臺中州青果同業組合之研究（1915-1941）〉，臺中：東海大學歷史學研究所碩士論文，2006。
4. 陳靜寬，〈日治時期臺中市的都市化與社會變遷〉，臺中：國立中興大學歷史學研究所博士論文，2009。
5. 周馥慧，〈臺中公園與周邊環境相應關係之研究〉，臺中：國立中興大學歷史學研究所碩士論文，2015。
6. 陳品涵，〈日治時期臺中州糖業與糖鐵之研究（1920～1945）〉，彰化：國立彰化師範大學歷史學研究所碩士論文，2015。

| 期刊 |

1. 賴志彰，〈臺中火車站——永遠的地標與入口門戶〉，《空間》，（1995）。
2. 羅廣仁，〈百年臺中火車站〉，《新聞大舞臺》，（2006）。
3. 陳樹群、蔡喬文，〈由多期正射航空影像探討都市發展變遷——以臺中市綠川為例〉，《農林學報》，（2013）。

| 圖資資料 |

1. 〈臺中市區計畫圖〉 1899 年
2. 〈臺中街實測圖〉 1916 年
3. 〈臺中市區改正圖〉 1926 年
4. 〈臺中市街圖〉 1935 年
5. 〈臺中市地圖〉 1937 年
6. 〈臺中都市計畫圖〉 1943 年
7. 〈美軍繪製臺灣城市地圖〉 1945 年
8. 〈臺中市街圖〉 1967 年
9. 〈臺中市街圖〉 1979 年
10. 〈臺中市圖〉 1982 年

作　　者　朱書漢・宋德熹
攝　　影　朱書漢
繪　　圖　朱書漢

發 行 人　林佳龍
主　　編　王志誠（路寒袖）
編輯委員　施純福・黃名亨・楊懿珊・林敏棋・陳素秋・林承謨
執行編輯　陳兆華・范秀情・趙崧然・林耕震

出版單位　臺中市政府文化局
地　　址　臺中市西屯區臺灣大道三段 99 號惠中樓 8 樓
網　　址　http://www.culture.taichung.gov.tw
電　　話　04-2228-9111
展 售 處　五南書局／ 04-2226-0330
　　　　　臺中市中區中山路 6 號
　　　　　國家書店松江門市／ 02-2518-0207
　　　　　臺北市中山區松江路 209 號 1 樓

編輯製作　遠景出版事業有限公司
負 責 人　葉麗晴
主　　編　李偉涵
執行編輯　謝佳容
封面插畫　鄭硯允
美術設計　李偉涵
內文排版　吳欣怡

地　　址　新北市板橋區松柏街 65 號 5 樓
電　　話　02-2254-2899
傳　　真　02-2254-2136
劃撥戶名　晴光文化出版有限公司
劃撥帳號　19929057
總 經 銷　紅螞蟻圖書有限公司
初　　版　中華民國 106 年 11 月
定　　價　新臺幣 300 元
G P N　1010601664
I S B N　978-986-05-3755-0

國家圖書館出版品預行編目資料

驛動軌迹：臺中火車站的古往今來 / 朱書漢、宋德熹著. 一 初版. 一 臺中市 ： 臺中市政府文化局出版 ： 晴光文化發行, 2017. 11 面 ； 公分. 一（臺中學 ; 6）

ISBN 978-986-05-3755-0（平裝）

733.9/115　　　106018272